TREZE DIAS QUE ABALARAM O MUNDO

Título original: *Thirteen Days*

Copyright © 1971,1969 by W.W. Norton & Company, Inc.
Copyright © 1968 by McCall Corporation

Treze dias que abalaram o mundo
1ª edição: Novembro 2022

Direitos reservados desta edição: CDG Edições e Publicações

O conteúdo desta obra é de total responsabilidade do autor
e não reflete necessariamente a opinião da editora.

Autor:
Robert F. Kennedy

Tradução:
Caio Pereira

Preparação de texto:
Lays Sabonaro

Revisão:
Gabriel Silva
Rebeca Michelotti

Projeto gráfico e capa:
Jéssica Wendy

DADOS INTERNACIONAIS DE CATALOGAÇÃO NA PUBLICAÇÃO (CIP)

Kennedy, Robert F.
    Treze dias que abalaram o mundo : memórias da crise dos mísseis de Cuba / Robert F. Kennedy ; tradução de Caio Pereira. — Porto Alegre : Citadel, 2022.

208 p.
Bibliografia
ISBN 978-65-5047-188-0
Título original: Thirteen Days

1. Crise dos mísseis cubanos, 1962 2. Guerra fria 3. Política internacional I. Título II. Pereira, Caio

22-5393   CDD - 909.82

Angélica Ilacqua - Bibliotecária - CRB-8/7057

Produção editorial e distribuição:

contato@citadel.com.br
www.citadel.com.br

Robert F. Kennedy

TREZE DIAS QUE ABALARAM O MUNDO

Memórias da crise dos mísseis de Cuba

Tradução:
Caio Pereira

CITADEL
Grupo Editorial

2022

Sumário

Prefácio	7
"Manhã de terça-feira, 16 de outubro de 1962…"	17
"O presidente… sabia que teria de agir."	25
"Opinião da maioria… a favor do bloqueio…"	33
"Agora tudo dependia de apenas um homem."	37
"A reunião importante com a OEA…"	45
"Encontrei-me com Dobrynin…"	51
"O perigo estava longe de acabar."	59
"Houve comunicações quase diárias com Khrushchev."	65
"Esperar muitas perdas caso ocorresse uma invasão."	71
"Isso levaria à guerra."	77
"Aquelas horas na Sala do Gabinete…"	83
"O presidente ordenou ao ExComm…"	87
"Algumas das coisas que aprendemos…"	93
"A importância de nos colocar no lugar dos outros países."	105

Posfácio   111

por Richard E. Neustadt e Graham T. Allison

O paradoxo nuclear	112
Novos pesos e contrapesos	122
Um dilema de governança	137
Uma questão constitucional?	147

Documentos 163

Discurso do presidente Kennedy
22 de outubro de 1962 — 163

Declaração da Casa Branca sobre a continuação da produção de mísseis em Cuba
26 de outubro de 1962 — 172

Segunda carta do líder Khrushchev para o presidente Kennedy
26 de outubro de 1962 — 175

Presidente Kennedy para o líder Khrushchev
27 de outubro de 1962 — 181

Declaração da Casa Branca
27 de outubro de 1962 — 183

Líder Khrushchev para o presidente Kennedy
28 de outubro de 1962 — 185

Declaração do presidente Kennedy sobre o recebimento da carta do líder Khrushchev
28 de outubro de 1962 — 193

Presidente Kennedy para o líder Khrushchev
28 de outubro 1962 — 195

Discurso do presidente Kennedy em Cuba
2 de novembro de 1962 — 199

Declaração do presidente Kennedy em Cuba
20 de novembro de 1962 — 201

Bibliografia 205

Prefácio

Agora que a Guerra Fria ficou na história, podemos dizer com propriedade que o mundo chegou bem perto de explodir durante treze dias, em outubro de 1962. Duas superpotências fortemente equipadas com armas nucleares desafiaram uma à outra em uma situação que poderia ter desembocado facilmente em uma catástrofe. Como o mundo escapou da aniquilação é o assunto deste livro. *Treze dias que abalaram o mundo*, de Robert Kennedy, tornou-se um pequeno clássico em sua evocação lacônica, contida e convincente, de um participante das manobras e humores titubeantes do momento mais perigoso da história da humanidade.

O quão perigosa era a situação eu só fui entender completamente quando participei de uma conferência sobre a crise dos mísseis em Havana, em janeiro de 1992. James G. Blight, da Brown University, teve a ideia de enriquecer o registro histórico reunindo pessoas que passaram por contendas mortais com acadêmicos preparados para interrogá-las. A conferência de Havana foi a quinta em uma série de conferências acerca da crise dos mísseis. O que começou com uma questão apenas dos norte-americanos somou participantes russos. Os cubanos reclamavam que todo o mundo a chamava de crise dos mísseis de *Cuba*, mas ninguém nunca lhes convidou: consequentemente foi feito o encontro em Havana, no qual Fidel Castro teve participação ativa.

Minha crença, quando fui a Havana, era de que nós tínhamos dramatizado em demasia o perigo. Afinal, Nikita Khrushchev, o líder soviético, estava mais do que ciente de que os Estados Unidos tinham superioridade convencional no Caribe e superioridade nuclear global. Como um homem racional, ele jamais teria iniciado uma guerra suicida. Esse ponto de vista complacente não sobreviveu à conferência. Começar uma guerra não é necessariamente um processo racional.

O momento mais impressionante foi quando o general Anatoly Gribkov, que estivera em Cuba durante os treze dias, descreveu a movimentação dos militares soviéticos. Havia, segundo ele, 43 mil tropas soviéticas na ilha. (A Agência Central de Inteligência tinha estimado 10 mil.) As forças soviéticas estavam equipadas com ogivas nucleares. (A CIA nunca teve certeza se as ogivas nucleares realmente chegaram.) Estas incluíam ogivas para mísseis de curto alcance tanto quanto para de longo alcance. (Ninguém em Washington sonhava que os soldados soviéticos poderiam estar equipados com bombas nucleares.) O mais alarmante: caso o *link* de comunicação com Moscou fosse rompido, os comandantes do campo soviético estavam autorizados a usar bombas nucleares táticas contra uma invasão norte-americana.

Robert F. Kennedy

Essa última observação assustou, e embasbacou, os norte-americanos presentes. Eu estava sentado ao lado de Robert McNamara, nosso secretário de Defesa durante a crise, e ele quase caiu da cadeira. Todos os chefes de Gabinete norte-americanos (McNamara, não, no entanto) eram a favor de uma invasão. Se o conselho deles tivesse prevalecido, como McNamara disse mais tarde, a guerra nuclear teria começado nas praias de Cuba e poderia ter culminado em um holocausto global.

* * *

Como foi que nós, norte-americanos, pusemos a nós mesmos e o mundo nessa enrascada? Em 1962, a Cuba de Fidel Castro estava estabelecida como inimiga declarada dos Estados Unidos. Dois anos antes, a administração Eisenhower havia contratado membros da máfia para assassinar Castro e tinha começado a treinar exilados cubanos antiCastro para invadir sua terra natal. A administração Kennedy herdou o projeto que levou à Baía dos Porcos. Depois desse negócio ilegítimo, a administração Kennedy financiou uma campanha da CIA de assédio e sabotagem. Em Havana e em Moscou, a Operação Mongoose foi tomada, não sem motivo, como uma preparação das forças norte-americanas para invadir.

Fidel Castro, mais uma vez não sem razão, voltou-se à União Soviética, como protetora de Cuba. Ele esperava, por meio de uma proclamação, aliança ou apoio militar convencional soviético, dissuadir a agressão norte-americana. Ele não requisitou – nem queria – mísseis nucleares. Isso foi ideia de Khrushchev. "Quando Castro e eu falamos sobre o problema", recorda Khrushchev em suas memórias, "nós discutimos e discutimos. A discussão foi bem acalorada. Mas, no final, Castro concordou comigo."[1]

Castro aceitou com relutância os mísseis nucleares, como ele disse mais tarde: "Não no intuito de garantir a nossa defesa, mas principalmente para fortalecer o socialismo no plano internacional". Em seguida, ele pediu a Khrushchev que fosse a público quando entregasse os mísseis. "Por que fazer isso em segredo, como se não tivéssemos esse direito?" Afinal, a União Soviética tinha todo o direito, sob a lei internacional, de enviar os mísseis, e Cuba tinha todo o direito de recebê-los. "Eu avisei Nikita que o segredo entregaria aos imperialistas a vantagem."[2]

Felizmente, para os imperialistas, Khrushchev não seguiu o conselho de Castro. Se tivesse feito isso, teria sido bem mais difícil forçar os mísseis a sair. A jogada secreta de Khrushchev caiu como uma luva para Kennedy.

* * *

Sabemos, hoje, muitos detalhes surpreendentes acerca da história interna da crise dos mísseis. *The Kennedy Tapes: Inside the White House during the Cuban Missile Crisis* (Ernest R. May e Philip D. Zelikow, editores, 1997) fornece transcrições palavra por palavra de deliberações dentro do governo norte-americano. Aleksandr Fursenko e Timothy Naftali, na obra *One Hell of a Gamble: Khrushchev, Castro, and Kennedy, 1958-1964* (1997), baseiam-se em documentos soviéticos

---

[1]. N. S. Khrushchev. *Khrushchev Remembers: The Last Testament*. Boston, 1974, p. 511.

[2]. Arthur Schlesinger Jr. "Four Days with Fidel: A Havana Diary". *New York Review of Books*, 26 de março de 1992.

secretos. Os volumes de James G. Blight de "história oral crítica" – principalmente *On the Brink: Americans and Soviets Reexamine the Cuban Missile Crisis* (com David A. Welch, 1990) e *Cuba on the Brink: Castro, the Missile Crisis, and the Soviet Collapse* (com Bruce J. Allyn e David A. Welch, 1993) – contêm testemunhos de participantes norte-americanos, soviéticos e cubanos.

Essa abundância de novos testemunhos suplementa e reforça o relato de Robert Kennedy em *Treze dias que abalaram o mundo*. O presidente estava determinado a retirar os mísseis nucleares de Cuba. Se os norte-americanos consentissem com a movimentação, pensava Kennedy, isso demonstraria a habilidade soviética de agir com impunidade bem no coração da zona norte-americana de interesse vital. Mísseis soviéticos em Cuba talvez não prejudicassem o equilíbrio estratégico, mas certamente prejudicariam o equilíbrio político e exerceriam um efeito profundamente desestabilizador no equilíbrio de poder do mundo – sem contar o impacto na política doméstica, que nunca está fora das preocupações do presidente.

Kennedy, como seu irmão enfatizou em *Treze dias que abalaram o mundo*, estava igualmente determinado a retirar os mísseis pacificamente. Existe a teoria de que John e Robert Kennedy estavam "obcecados" por Castro e queriam destruí-lo. Se fosse esse o caso, o envio de mísseis nucleares soviéticos a Cuba teria fornecido um pretexto perfeito – pretexto esse que teria sido aceito por todo o mundo – para invadir Cuba e esmagar Castro para sempre. Em vez disso, Robert Kennedy liderou a luta contra a invasão militar, e John Kennedy tomou a decisão de vetá-la. Muito obcecados.

O propósito do presidente era impedir a entrega de mais mísseis mediante a "quarentena" naval de Cuba e executar a remoção dos mísseis que já estavam na ilha por meio de diplomacia. Seu estilo de negociar era inspirado pelo analista militar britânico Basil Liddell Hart (cujo livro *Deterrent or Defense* ele tinha revisado em 1960): "Mantenha-se firme, se possível. Em todo caso, fique tranquilo. Tenha paciência ilimitada. Nunca cerque um oponente e sempre o ajude a preservar sua reputação. Coloque-se no lugar dele – para poder ver as coisas através dos olhos dele. Evite a pretensão ao máximo – nada o deixará mais cego que isso".[3]

Ao longo das deliberações dos norte-americanos, Kennedy pediu a seus conselheiros – o famigerado ExComm, Comitê Executivo do Conselho de Segurança Nacional – que se colocassem no lugar de Khrushchev: "Acho que devemos pensar em por que os russos fizeram isso". Quando os conselheiros insistiram em um ataque aéreo às bases, Kennedy comentou que os aliados o considerariam "uma loucura dos Estados Unidos". Ele não achava que Khrushchev iniciaria uma guerra nuclear que estava fadado a perder. Ele queria facilitar ao máximo para que o líder russo pudesse recuar.

Contudo, o presidente se preocupava o tempo todo com que a situação, entrementes, saísse do controle por causa de um erro de cálculo, um acidente, estupidez, insanidade ou algo que desse muito errado durante o processo (cf. general Ripper em *Dr. Fantástico*). Ele não tinha lido em vão *The Guns of August* [As armas de agosto], o relato de Barbara Tuchman do modo com que as nações

---

[3]. John F. Kennedy, revisão de *Deterrent or Defense*, por B. H. Liddell Hart, *Saturday Review*, 3 de setembro de 1960. (A citação é de Liddell Hart.)

da Europa foram parar na Primeira Guerra Mundial. Por isso, ele tomava o maior cuidado para manter as forças armadas na coleira, muito para a irritação velada dessas.

Kennedy não se deixava impressionar pelas objeções dos militares. A Baía dos Porcos tinha ensinado o presidente a não confiar no Estado-Maior Conjunto. "O primeiro conselho que vou dar ao meu sucessor", disse ele certa vez a seu amigo jornalista Ben Bradlee, "é ficar de olho nos generais e evitar achar que, porque eles são militares, a opinião deles acerca de questões militares presta para alguma coisa."[4] Durante a crise dos mísseis, Kennedy rejeitou com cortesia e consistência as recomendações belicosas do Estado-Maior. "Esses altos oficiais têm uma grande vantagem a favor deles", disse ele. "Se nós... fizermos o que eles querem que façamos, ninguém estará vivo depois para lhes dizer que eles estavam errados."[5]

Ele não sabia que armas nucleares táticas soviéticas estavam aguardando uma invasão norte-americana. Mas ele temia a terrível imprevisibilidade do agravamento. Uma vez que a espiral de agravamento decolasse, quem saberia dizer onde iria parar? Foi por isso que o presidente resistiu a um ataque aéreo sorrateiro, mesmo quando uma maioria no ExComm era a favor. Foi por isso que ele se preparou para colocar as Nações Unidas em planos de reserva caso as negociações bilaterais vacilassem. Foi por isso que, desde muito cedo, ele viu a troca de mísseis norte-americanos na Turquia por mísseis soviéticos em Cuba como uma possível saída.

---

4. Arthur Schlesinger Jr. Prefácio de Pierre Salinger. *John F. Kennedy: Commander in Chief*. Nova York, 1997, p. vii-viii.

5. Kenneth O'Donnell e David F. Powers. *Johnny, We Hardly Knew Ye*. Boston: 1974, p. 318.

E foi por isso que ele enviou Robert Kennedy, numa missão secreta, para o embaixador Anatoly Dobrynin, a fim de arranjar a troca. Era um trato ao qual a maioria dos conselheiros se opunha. Esse é um episódio tratado de forma breve em *Treze dias que abalaram o mundo*. A discrição era considerada essencial, uma vez que a revelação da troca poderia irritar aliados da Otan no exterior e os conservadores em casa. O trato permaneceu secreto até que me deparei com documentos relevantes entre os papéis de Robert Kennedy e os publiquei em *Robert Kennedy and His Times*, em 1978.

Khrushchev, cuja jogada precipitou a crise, provou ser um parceiro equivalente na resolução. Enquanto os militares norte-americanos faziam objeções a rejeitar uma invasão, os militares soviéticos objetavam a retirada dos mísseis. Quando Khrushchev perguntou se seus oficiais garantiriam que manter os mísseis em Cuba não incitaria uma guerra nuclear, eles olharam para ele, como relatou mais tarde para Norman Cousins, do *Saturday Review*, um emissário informal entre Kennedy e Khrushchev, "como se eu tivesse perdido a cabeça ou, o que é pior ainda, como se eu fosse um traidor. Então eu pensei: 'Para o inferno com esses maníacos'".[6]

Estudos acadêmicos recentes confirmam o retrato de John F. Kennedy desenhado por seu irmão em *Treze dias que abalaram o mundo*: um líder muito tranquilo, analítico, comedido, seguro de si, que tinha noção do peso da decisão, incisivo em suas perguntas, firme em seu discernimento, sempre no comando, guiando seus conselheiros com perseverança na direção em que queria

---

6. Norman Cousins, editorial, *Saturday Review*, 10 de outubro de 1977, *apud* James G. Blight, Burce J. Allyn e David A. Welch. *Cuba on the Brink: Castro, the Missile Crisis, and the Soviet Collapse*. Nova York: 1993, p. 359.

que eles fossem. "Somente agora estamos começando a entender o papel que ele teve nisso tudo", escreve John Lewis Gaddis, o principal historiador da Guerra Fria.

Em vez de negligenciar os perigos da guerra nuclear, ele tinha uma noção aguçada de quais eram. Longe de opor-se a um compromisso, ele pressionava para fazer mais do que qualquer outra pessoa em sua administração. Longe de confiar no ExComm, ele passava por cima dele nos momentos mais críticos, e talvez o enxergasse como mais útil para construir consenso do que para tomar decisões. Longe de colocar a nação e o mundo em risco para proteger sua reputação de durão, ele provavelmente teria recuado – em público, se necessário –, qualquer que pudesse ter sido o prejuízo político. Pode haver, em suma, espaço aqui para um novo perfil em coragem – mas seria coragem de um tipo diferente do que a maioria das pessoas presumia que o termo significava durante boa parte da Guerra Fria.[7]

Se os mísseis soviéticos tivessem permanecido em Cuba, a década de 1960 teria sido das mais perigosas. Ao contrário, enquanto Kennedy foi vivo e Khrushchev esteve no poder, houve movimento constante em direção ao relaxamento da tensão – o discurso na American University, o Tratado de Interdição Parcial de Ensaios Nucleares, o estabelecimento da "linha direta" entre a Casa Branca e o Kremlin.

"Uma das ironias", Kennedy observou para Norman Cousins na primavera de 1963, "é que o Sr. Khrushchev e eu ocupamos aproximadamente as mesmas posições políticas dentro dos nossos

---

7. John Lewis Gaddis. *We Now Know: Rethinking Cold War History*. Nova York: 1997, p. 272.

governos. Ele gostaria de impedir uma guerra nuclear, mas sofre pressão severa do público mais linha dura, que interpreta todo movimento nessa direção como apaziguamento. Eu tenho problemas similares... O pessoal linha dura da União Soviética e o dos Estados Unidos alimentam um ao outro".[8]

Tendo olhado juntos para o abismo nuclear, os dois líderes estavam determinados de que o mundo jamais sofreria uma crise dessas novamente. Quanto à suposta obsessão de Kennedy por Fidel Castro, um ano após a crise dos mísseis, Kennedy estava explorando a possibilidade de normalizar as relações com a Cuba de Castro.

Em novembro de 1962, enquanto os treze dias ainda estavam frescos em sua mente, Robert Kennedy dedicou um memorando a si mesmo. "As dez ou doze pessoas que participaram em todas essas discussões", disse ele, "eram pessoas inteligentes e enérgicas. Nós tínhamos, talvez, alguns dos mais capazes do país, e se algum dentre eles fosse presidente, o mundo teria, muito provavelmente, sido mergulhado em uma guerra catastrófica".

Escapamos da aniquilação por um fio.

– Arthur Schlesinger, Jr.
Abril de 1999

---

8. Norman Cousins. *The Improbable Triumvirate*. Nova York: 1972, p. 114.

"Manhã de terça-feira,
16 de outubro de 1962..."

Na manhã de terça-feira, dia 16 de outubro de 1962, pouco após as nove da manhã, o presidente Kennedy ligou e me pediu que fosse à Casa Branca. Disse apenas que estávamos enfrentando um grande problema. Pouco depois, na sala dele, contou-me que um U-2 tinha acabado de concluir uma missão fotográfica e que a Comunidade de Inteligência estava convencida de que a Rússia estava colocando mísseis e armas atômicas em Cuba.

Esse foi o começo da crise dos mísseis de Cuba – um confronto entre as duas nações atômicas gigantes, os Estados Unidos e a União Soviética, que levou o mundo à beira do abismo da destruição nuclear e do fim da humanidade. Desde esse momento, na sala do presidente Kennedy, até a manhã de domingo, 28 de outubro, essa foi a minha vida – e para norte-americanos e russos, para o mundo todo, essa era a vida deles também.

Às 11h45 dessa mesma manhã, na Sala do Gabinete, uma apresentação formal foi feita pela Agência Central de Inteligência a alguns altos oficiais do governo. Mostraram-nos fotografias. Chegaram *experts* com seus gráficos e ponteiros, que nos disseram que, se olhássemos com atenção, poderíamos ver que havia uma base de mísseis sendo construída em um campo perto de San Cristóbal, Cuba. Eu, pelo menos, tive que me basear no que eles diziam. Examinei as fotos com atenção, e o que eu vi parecia não passar da limpeza de um campo de uma fazenda ou do porão de uma casa. Fiquei aliviado de saber, mais tarde, que essa foi a reação de praticamente todo mundo na reunião, incluindo o presidente Kennedy. Mesmo alguns dias depois, quando tinha ocorrido mais trabalho no local, ele comentou que parecia um campo de futebol.

A sensação predominante na reunião foi de surpresa e admiração. Ninguém esperava nem imaginava que os russos empregariam mísseis balísticos de superfície em Cuba. Eu me lembrei da reunião que tivera com o embaixador soviético Anatoly Dobrynin, na minha sala, algumas semanas antes. Ele viera me dizer que os russos estavam preparados para assinar um tratado de proibição de testes atmosféricos se pudéssemos fazer certos acordos com relação a testes subterrâneos. Eu lhe disse que transmitiria essa mensagem e os documentos relativos a ela ao presidente Kennedy.

Eu lhe disse que estávamos profundamente preocupados, na administração, com a quantidade de equipamento militar que estava sendo enviada a Cuba. Nessa mesma manhã, eu tinha me reunido para tratar desse assunto com o presidente e os secretários de Estado e defesa. Havia certas evidências de que, além das áreas para mísseis superfície-ar (SAM) que estavam sendo construídas, os russos, sob o disfarce de uma vila de pescadores, estavam construindo um grande estaleiro naval e uma base para submarinos. Isso tudo estava sendo observado com atenção – mediante agentes infiltrados em Cuba que relatavam a construção militar de modo limitado, porém frequente, interrogando refugiados que eram triados e avaliados quando chegavam à Flórida, e por intermédio de voos de U-2.

Era época de eleições. Os dias outonais de setembro e outubro eram permeados de acusações e contra-acusações. Republicanos que "viam tudo com alarde" alegavam que os Estados Unidos não estavam tomando as medidas necessárias para proteger a nossa segurança. Alguns, como o senador Homer E. Capehart, de Indiana, sugeriam que fizéssemos uma ação militar contra Cuba.

Eu contei ao embaixador Dobrynin sobre a grande preocupação do presidente Kennedy com relação ao que estava acontecendo. Ele me disse que eu não devia me preocupar, pois ele tinha sido instruído pelo líder soviético, Nikita S. Khrushchev, a garantir ao presidente Kennedy que não haveria mísseis superfície-superfície nem armas ofensivas em Cuba. Além do mais, disse ele, eu podia garantir ao presidente que essa área militar não tinha a menor importância e que Khrushchev não faria nada para perturbar o relacionamento dos nossos países durante esse período anterior às eleições. O líder Khrushchev, disse ele, gostava do presidente Kennedy e não queria envergonhá-lo.

Eu comentei que achava que ele tinha um jeito muito estranho de mostrar admiração; que o que os russos andaram fazendo em Cuba era uma questão de grande preocupação para os Estados

Unidos; e que as afirmações de amizade dele significavam muito pouco em comparação com as atividades militares no Caribe. Eu lhe disse que estávamos observando a área com atenção e que ele deveria saber que seria da mais grave consequência se a União Soviética colocasse mísseis em Cuba. Isso jamais aconteceria, ele me garantiu, e foi embora.

Eu relatei a conversa ao presidente Kennedy, ao secretário de Estado, Dean Rusk, e ao secretário de Defesa, Robert McNamara, e transmiti o meu ceticismo, e sugeri que talvez fosse conveniente emitir uma nota deixando inequivocamente claro que os Estados Unidos não tolerariam a introdução de mísseis superfície-superfície ofensivos, nem de quaisquer armas ofensivas, em Cuba.

Nessa mesma tarde, em 4 de setembro, a partir de um rascunho preparado por Nicholas Katzenbach, vice-procurador-geral, e por mim, o presidente emitiu exatamente esse tipo de aviso e apontou as sérias consequências que resultariam de uma atitude como essa.

Uma semana depois, em 11 de setembro, Moscou negou publicamente qualquer intenção de tomar tal atitude e afirmou que não havia necessidade alguma de que mísseis nucleares fossem transferidos para qualquer país fora da União Soviética, incluindo Cuba.

Durante esse mesmo período de tempo, um importante oficial da embaixada soviética, retornando de Moscou, me trouxe uma mensagem pessoal de Khrushchev para o presidente Kennedy, afirmando que queria que o presidente tivesse certeza de que, sob nenhuma circunstância, mísseis superfície-superfície seriam enviados a Cuba.

Robert F. Kennedy

Agora, como os representantes da CIA explicaram as fotografias do U-2 naquela manhã de terça-feira, dia 16 de outubro, percebemos que tinha sido tudo mentira, uma fábrica gigantesca de mentiras. Os russos estavam colocando mísseis em Cuba, e estiveram enviando os mísseis para lá e começando a construção de áreas militares ao mesmo tempo que aquelas garantias particulares e privadas eram enviadas pelo líder Khrushchev ao presidente Kennedy.

Por isso, a sensação predominante era de choque e incredulidade. Tínhamos sido enganados por Khrushchev, mas também nos fizemos de bobos. Nenhum oficial de dentro do governo jamais sugeriu ao presidente Kennedy que a construção russa em Cuba incluiria mísseis. Em diversas ocasiões, o presidente requisitara uma avaliação específica sobre o que a Comunidade de Inteligência achava que seriam as implicações para os Estados Unidos dessa construção. A Comunidade de Inteligência, em sua Estimativa Nacional do curso futuro dos eventos, avisara ao presidente – em cada uma das quatro ocasiões, em 1962, em que lhe forneceram relatórios oficiais sobre Cuba e o Caribe – que os russos não disponibilizariam armas ofensivas para Cuba. A última estimativa anterior à nossa reunião de 16 de outubro é datada em 19 de setembro, e informava o presidente de que, sem reservas, o Conselho de Inteligência Nacional, após considerável discussão e avaliação, concluíra que a União Soviética não faria de Cuba uma base estratégica. Apontava-se que a União Soviética não tinha tomado esse tipo de atitude com nenhum de seus satélites no passado e que consideraria a ameaça de retaliação dos Estados Unidos grande demais para correr o risco ao fazer isso.

Ouvimos falar, mais tarde, em um estudo *post mortem*, que chegaram relatórios de agentes infiltrados em Cuba indicando a presença de mísseis em setembro de 1962. A maioria dos relatórios era falsa; alguns eram resultado de observadores destreinados que confundiram mísseis superfície-ar com mísseis superfície-superfície. Diversos relatórios, no entanto, provaram estar corretos – um de um ex-funcionário do Hotel Hilton em Havana, que acreditava que uma instalação para mísseis estava sendo construída perto de San Cristóbal, e outro de alguém que ouviu o piloto de Fidel Castro falando de modo atrevido e afetado sobre os mísseis nucleares que seriam providenciados para Cuba pela Rússia.

Mas antes que esses relatórios ganhassem corpo, eles tinham de ser checados e checados mais uma vez. Eles não foram considerados substanciais o bastante para passar para o presidente ou algum outro alto oficial do governo. Em retrospecto, talvez isso tenha sido um equívoco. Mas o mesmo estudo *post mortem* afirmava também que não havia atitude que os Estados Unidos poderiam ter tomado antes do momento em que nós, de fato, agimos, com base em que nem mesmo os vídeos disponíveis em 16 de outubro teriam sido substanciais o bastante para convencer os governos e os povos do mundo acerca da presença de mísseis ofensivos em Cuba. Certamente, relatórios imateriais de refugiados não teriam sido o suficiente.

O fato mais importante, evidentemente, é que os mísseis foram descobertos e a informação foi disponibilizada para o governo e o povo antes de os mísseis entrarem em operação e a tempo de os Estados Unidos reagirem.

Robert F. Kennedy

O mesmo grupo que se reuniu naquela primeira manhã no gabinete reuniu-se quase sem parar ao longo dos doze dias seguintes e quase diariamente por umas seis semanas depois. Outros que estavam no grupo, que mais tarde passou a ser chamado de "ExComm" (Comitê Executivo do Conselho de Segurança Nacional), incluíam o secretário de Estado, Dean Rusk; o secretário de Defesa, Robert McNamara; o diretor da Agência Central de Inteligência, John McCone; o secretário do Tesouro, Douglas Dillon; o conselheiro do presidente Kennedy sobre assuntos de segurança nacional, McGeorge Bundy; o conselheiro presidencial, Ted Sorensen; o subsecretário de Estado, George Ball; o vice-subsecretário de Estado, U. Alexis Johnson; o general Maxwell Taylor, líder do Estado-Maior Conjunto; Edward Martin, secretário-assistente de Estado da América Latina; originalmente, Chip Bohlen, que, depois do primeiro dia, partiu para tornar-se embaixador da França e foi sucedido por Llewellyn Thompson, como conselheiro em assuntos da Rússia; Roswell Gilpatric, vice-secretário de Defesa; Paul Nitze, secretário-assistente de Defesa; e, intermitente em diversas reuniões, o vice-presidente, Lyndon B. Johnson; Adlai Stevenson, embaixador das Nações Unidas; Ken O'Donnell, assistente especial do presidente; e Don Wilson, que era vice-diretor da Agência de Informação dos Estados Unidos. Esse foi o grupo que se reuniu, conversou, discutiu e brigou durante esse período de tempo crucial. Desse grupo vinham as recomendações dentre as quais o presidente Kennedy deveria selecionar qual curso de ação seguir.

Eram homens da maior inteligência, diligentes, corajosos e dedicados ao bem-estar do país. Não se pode criticar que nenhum deles foi consistente em sua opinião desde o início até o final. Esse tipo de cabeça aberta, irrestrita, foi essencial. Com alguns, houve apenas pequenas mudanças, talvez variações de uma mesma ideia. Com outros, houve mudanças de opinião contínuas, todos os dias; alguns, por causa da pressão dos eventos, pareciam até perder a razão e a estabilidade.

A sensação geral, no começo, era de que alguma forma de ação era necessária. Havia aqueles, embora fossem uma pequena minoria, que achavam que os mísseis não alteravam o equilíbrio de poder e, portanto, não requisitavam uma atitude. A maioria achava, a essa altura, que um ataque aéreo contra as bases de mísseis seria a única saída. Ao ouvir as propostas, passei um recado ao presidente: "Agora eu sei como Tojo se sentiu quando estava planejando Pearl Harbor".

"O presidente... sabia que teria de agir."

Após a reunião na Sala do Gabinete, voltei a pé para a mansão, com o presidente. Seria difícil; o risco era grande – do maior e mais importante tipo –, mas ele sabia que teria de agir. Os Estados Unidos não podiam aceitar o que os russos tinham feito. Qual seria essa ação, ainda estava para ser determinada. Mas ele estava convencido, desde o início, de que teria de fazer alguma coisa. Para impedir que as discussões fossem inibidas e por não querer chamar atenção, ele decidiu não participar de todas as reuniões do nosso comitê. Foi uma atitude sensata. As personalidades mudam quando o presidente está presente, e com frequência até homens fortes fazem recomendações com base no que acreditam que o presidente deseja ouvir. Ele instruiu o nosso grupo a apresentar recomendações para um plano de ação ou possivelmente diversos planos de ação alternativos.

TREZE DIAS QUE ABALARAM O MUNDO

Foi durante a tarde e o início da noite desse primeiro dia, terça-feira, que começamos a discutir a ideia de uma quarentena ou um bloqueio. O secretário McNamara, na quarta, tornou-se o principal defensor do bloqueio. Ele argumentava que era pressão limitada, que poderia ser aumentada conforme as circunstâncias permitissem. Ademais, era uma pressão dramática e forçosa, que seria compreendida e, no entanto, e mais importante, ainda nos deixaria com o controle dos eventos. Mais tarde ele reforçou seu posicionamento relatando que um ataque aéreo surpresa contra a base de mísseis por si só – um ataque aéreo cirúrgico, como veio a ser chamado – era algo considerado militarmente impossível pelo Estado-Maior Conjunto, que qualquer ação militar dessas teria de incluir todas as instalações militares de Cuba, o que culminaria em uma invasão. Talvez cheguemos a esse ponto, ele argumentava. Talvez esse plano de ação acabe provando-se inevitável. "Mas não vamos começar com esse plano de ação", se por acaso esse tipo de confronto com Cuba, e por necessidade com a União Soviética, pudesse ser evitado.

Aqueles que argumentavam a favor de um ataque militar em vez do bloqueio apontavam que um bloqueio não removeria de fato os mísseis e nem impediria o trabalho de prosseguir nas bases de mísseis em si. Os mísseis já estavam em Cuba, e tudo que faríamos com um bloqueio seria "fechar a porta depois que o cavalo já tivesse saído do celeiro". Além disso, eles arguiam, nós suscitaríamos um confronto com a União Soviética ao parar os navios deles, quando deveríamos nos concentrar em Cuba e Castro.

O argumento mais forçoso deles era de que instalar um bloqueio em torno de Cuba convidava os russos a fazer o mesmo em

Berlim. Se nós requisitássemos a remoção de mísseis de Cuba como o preço para retirar o bloqueio, eles requisitariam a remoção dos mísseis em torno da União Soviética como ato recíproco.

E assim discutíamos, assim discordávamos – todos homens dedicados, inteligentes, discordando e brigando pelo futuro do país e da humanidade. Entrementes, aos poucos o tempo se esgotava.

Um exame da fotografia tirada na quarta-feira, dia 17 de outubro, mostrou diversas outras instalações, com pelo menos 16 e possivelmente 32 mísseis de mais de mil quilômetros de alcance. Nossos militares *experts* nos avisaram de que esses mísseis poderiam estar em operação dentro de uma semana. No dia seguinte, quinta-feira, estimativas da nossa Comunidade de Inteligência afirmavam que havia em Cuba mísseis com potencial de ogivas nucleares de cerca de metade da potência de MBIC (míssil balístico intercontinental) de toda a União Soviética. Como a fotografia indicou que os mísseis estavam direcionados para certas cidades norte-americanas, a estimativa era de que, dentro de alguns minutos após a detonação, oitenta milhões de norte-americanos estariam mortos.

Os membros do Estado-Maior Conjunto demandavam, em decisão unânime, ação militar imediata. Eles apresentavam com veemência seu ponto de vista de que o bloqueio não seria efetivo. O general Curtis LeMay, chefe de gabinete da Força Aérea, argumentou intensamente com o presidente que um ataque militar era essencial. Quando o presidente perguntou qual poderia ser a resposta dos russos, o general LeMay lhe garantiu que não haveria reação. O presidente Kennedy não acreditou. "Eles não podem, não menos do que nós, deixar essas coisas passarem sem fazer nada a respeito. Eles não podem, após todas as afirmações que fizeram, permitir que nós lhes tomemos os mísseis, matemos um monte de russos, e não fazer nada. Se eles não entrarem em ação em Cuba, certamente o farão em Berlim."

O presidente prosseguiu, dizendo que reconhecia a solidez dos argumentos dados pelo Estado-Maior, o perigo de que mais e mais mísseis fossem colocados em Cuba, e a probabilidade, se não fizéssemos nada, de que os russos avançariam sobre Berlim e outras áreas do mundo, e o pensamento de que os Estados Unidos estavam completamente incapacitados. Então seria tarde demais para fazer alguma coisa em Cuba, pois a essa altura todos os mísseis deles já seriam operacionais.

O general David M. Shoup, comandante dos fuzileiros navais, resumiu o sentimento de todos: "Você está numa enrascada, Sr. Presidente". O presidente respondeu em seguida: "Você também está, junto comigo". Todos riram, e, sem uma decisão final, a reunião foi adiada.

Mais tarde, o secretário McNamara, embora tivesse dito ao presidente que discordava do Estado-Maior e preferia o bloqueio em vez de um ataque, informou-lhe que os aviões, o pessoal e a munição necessários seriam acionados e que estaríamos prontos para prosseguir com os bombardeios aéreos necessários na terça-feira, 23 de outubro, se fosse essa a decisão. Os planos sugeriam um ataque inicial, consistindo de quinhentas tropas, atingindo todos os alvos militares, incluindo as bases de mísseis, campos aéreos, portos e depósitos de armas.

Eu dei apoio à posição de McNamara, a favor do bloqueio. Não o fiz por ter grande convicção de que seria um plano de ação bem-sucedido, mas pela sensação de que era algo que tinha mais flexibilidade e menos obrigações do que um ataque militar. Mais importante, como outros, eu não podia aceitar a ideia de que os Estados Unidos fariam chover bombas em Cuba, matando milhares e milhares de civis em um ataque surpresa. Talvez as alternativas não fossem muito palatáveis, mas eu simplesmente não via como poderíamos aceitar esse plano de ação para o nosso país.

O ex-secretário de Estado, Dean Acheson, começou a participar das nossas reuniões, e estava muito a favor de um ataque aéreo. Eu era grande admirador dele. Em 1961, o presidente Kennedy lhe pediu que preparasse um relatório para o Conselho de Segurança Nacional recomendando um plano de ação para lidar com a ameaça russa em Berlim. Ouvindo a apresentação dele, na época, eu pensei que nunca tinha ouvido uma pessoa tão lúcida e convincente e que jamais desejaria estar do outro lado de uma discussão com ele. Agora, ele dava seus argumentos, do mesmo modo claro e brilhante, de que um ataque aéreo e uma invasão representavam a nossa única alternativa. Ele disse que o presidente dos Estados Unidos era responsável pela segurança do povo dos Estados Unidos e de todo o mundo livre, que era obrigação dele tomar a única atitude que poderia proteger essa segurança, e que isso significava destruir os mísseis.

Com certa trepidação, eu argumentei que, por mais válidos que fossem os argumentos militares e políticos para um ataque em vez de um bloqueio, as tradições e a história da América não permitiriam um plano de ação como esse. Qualquer que fossem os motivos militares de que ele e outras pessoas pudessem dispor, eles estavam, em última análise, defendendo um ataque surpresa feito por uma grande nação contra uma muito pequena. Isso, eu disse, não poderia ser conduzido pelos Estados Unidos se quiséssemos manter nossa posição moral em casa e ao redor do globo. Nossa luta contra o comunismo por todo o mundo era muito mais do que sobrevivência física – tinha como essência nossa herança e nossos ideais, e estes nós não poderíamos destruir.

Passamos mais tempo nessa questão moral durante os primeiros cinco dias do que em qualquer outra questão. Em diversos momentos, foi proposto que enviássemos uma carta a Khrushchev 24 horas antes que o bombardeio começasse, que mandássemos uma carta a Castro, que folhetos e panfletos com as listas dos alvos fossem lançados sobre Cuba antes do ataque – todas essas ideias e outras mais foram abandonadas por razões militares ou outras. Nós lutamos e brigamos uns com os outros e cada um com a própria consciência, pois era uma questão que preocupava profundamente a todos nós.

Em meio a todas essas discussões, Andrei Gromyko veio ver o presidente. Era um compromisso firmado bem antes da descoberta dos mísseis, e o presidente achou que seria inadequado cancelar. Ele debateu se deveria confrontar o ministro de Relações Exteriores soviético com as informações que tínhamos da presença dos mísseis, e finalmente resolveu que, como ainda não tinha determinado um plano de ação final e a revelação do que sabíamos poderia dar aos russos a iniciativa, ele simplesmente escutaria Gromyko.

Eles se encontraram no fim da tarde de quarta-feira na sala do presidente, na Casa Branca. Gromyko começou a conversa dizendo que os Estados Unidos deviam parar de ameaçar Cuba.

Robert F. Kennedy

Tudo que Cuba queria era uma coexistência pacífica, disse ele; não estava interessada em exportar seu sistema para outros países da América Latina. Cuba, como a União Soviética, queria apenas a paz. O premiê Khrushchev o tinha instruído, disse Gromyko, a dizer ao presidente Kennedy que a única assistência fornecida a Cuba era para desenvolvimento da agricultura e da terra, para que as pessoas pudessem se alimentar, além de uma pequena quantia de armas de defesa. Em vista de toda a publicidade na imprensa norte-americana, ele disse, ele queria enfatizar que a União Soviética jamais se envolveria em fornecer armas ofensivas para Cuba.

Gromyko disse que queria apelar aos EUA e ao presidente Kennedy em nome do premiê Khrushchev e da União Soviética para atenuar as tensões que existiam com Cuba.

O presidente Kennedy ouviu, aturdido, mas também com certa admiração pela ousadia da postura de Gromyko. Com firmeza, mas também com grande constrição, considerando a provocação, ele disse a Gromyko que não eram os Estados Unidos que estavam fomentando a discórdia, mas a União Soviética. O fornecimento de armas da URSS para Cuba estava surtindo efeito profundo no povo dos Estados Unidos e era fonte de grande preocupação para ele. Por causa das garantias pessoais que ele recebera de Khrushchev, ele andara assumindo a postura política de que não era preciso tomar atitude alguma contra Cuba, e, no entanto, a situação estava ficando cada vez mais perigosa.

Gromyko repetiu que o único objetivo da URSS era "dar pão a Cuba para acabar com a fome no país". Com relação às armas, a União Soviética simplesmente enviara alguns especialistas para treinar os cubanos para lidar com certos tipos de armamento, que eram apenas "defensivos". Em seguida, ele disse que queria enfatizar a palavra "defensivos" e que nenhuma dessas armas poderia jamais constituir ameaça para os Estados Unidos.

O presidente respondeu que não poderia haver incompreensão quanto à posição dos Estados Unidos – que essa posição tinha sido esclarecida para a União Soviética em reuniões entre o advogado geral e o embaixador Dobrynin, e nas declarações públicas dele. Para evitar qualquer dúvida, ele leu em voz alta a declaração de 4 de setembro, que apontava as sérias consequências que surgiriam se a União Soviética colocasse mísseis ou armas ofensivas em Cuba.

Gromyko garantiu que isso jamais seria feito, que os Estados Unidos não precisavam se preocupar. Após tocar brevemente em outras questões, ele se despediu.

Eu cheguei pouco depois que Gromyko deixou a Casa Branca. O presidente dos Estados Unidos, pode-se dizer, estava descontente com o porta-voz da União Soviética...

"Opinião da maioria... a favor do bloqueio..."

Na noite de quinta-feira, havia uma opinião majoritária no nosso grupo a favor do bloqueio. Nosso comitê foi do Departamento de Estado para a Casa Branca, em torno das 21h15. No intuito de evitar a suspeita que teria suscitado a presença de uma longa fila de limusines, todos nós fomos no meu carro – John McCone, Maxwell Taylor, o motorista e eu, todos abarrotados no banco da frente, e outros seis sentados no banco de trás.

Explicamos nossas recomendações ao presidente. No início, a reunião pareceu proceder de modo ordenado e satisfatório. No entanto, conforme as pessoas falavam, conforme o presidente fazia perguntas para nos sondar, mentes e opiniões começaram a mudar de novo, e não somente em questões menores. Alguns passavam de um extremo a outro – apoiavam o ataque aéreo no início da reunião e, quando saímos da Casa Branca, já não apoiavam ação alguma.

O presidente, nem um pouco satisfeito, nos mandou voltar a deliberar. Visto que qualquer outra atitude levantaria suspeitas, ele retornou à sua agenda regular e às conversas de engajamento para a campanha.

Na manhã seguinte, na reunião que fizemos no Departamento de Estado, houve discordâncias pungentes mais uma vez. O esforço e as horas sem dormir começavam a cobrar seu preço. No entanto, mesmo muitos anos depois, essas fraquezas humanas – impaciência, ataque de nervos – são compreensíveis. De cada de um de nós se requisitava que fizesse uma recomendação que afetaria o futuro da humanidade, recomendação essa que, se fosse equivocada e aceita, poderia significar a destruição da raça humana. Esse tipo de pressão faz coisas estranhas com um ser humano, mesmo com homens brilhantes, autoconfiantes e experientes. Para alguns, ela evidencia características e forças que talvez nem eles soubessem que tinham, e para outros a pressão é esmagadora demais.

Nossa situação foi ainda mais dificultada pelo fato de que não havia uma solução óbvia ou simples. Um dogmatismo, um ponto de vista certo, nada disso era possível. Em cada posição, havia fraquezas inerentes, e quem se opunha as apontava, em geral, com efeitos devastadores.

Finalmente, concordamos em realizar um procedimento pelo qual achávamos que poderíamos dar recomendações inteligentes ao presidente. Sabíamos que o tempo estava se esgotando e que não era possível adiar nada. Então, nos separamos em grupos para escrever nossas respectivas recomendações, começando com um esboço do discurso que o presidente faria à nação e todo o plano de ação subsequente, tentando antecipar todas as possíveis contingências e sugerindo recomendações sobre como reagir a elas.

No começo da tarde, trocamos papéis, cada grupo dissecou e criticou o outro, e então os papéis foram devolvidos ao grupo original para desenvolver mais respostas. Aos poucos, de tudo isso saíram esboços de planos definitivos. Para o grupo que defendia o bloqueio, era um esboço da base legal para a nossa ação, programação para uma reunião com a Organização dos Estados Americanos, recomendações para o papel das Nações Unidas, os procedimentos militares para impedir navios e, finalmente, as circunstâncias sob as quais seria usada força militar. Para o grupo que defendia ação militar imediata, era um esboço das áreas a serem atacadas, a defesa da nossa posição nas Nações Unidas, sugestões sobre como obter apoio dos países da América Latina e uma proposta de comunicação com Khrushchev para convencê-lo de que não era recomendável avançar militarmente contra nós no Caribe, em Berlim ou em qualquer outro lugar do mundo.

Durante todas essas deliberações, falávamos de igual para igual. Não havia hierarquia e, na verdade, nem tínhamos um líder. Dean Rusk – que, como secretário de Estado, poderia ter assumido esse posto – tinha outros deveres durante esse período e quase nunca podia participar das nossas reuniões. Como resultado, com o encorajamento de McNamara, Bundy e Ball, as conversas foram completamente desinibidas e irrestritas. Todo mundo tinha a mesma oportunidade de se expressar e ser ouvido diretamente. Foi um procedimento tremendamente vantajoso que não costumava ocorrer dentro do braço executivo do governo, no qual a posição em geral é tão importante.

"Agora tudo dependia de apenas um homem."

Reunimo-nos durante todo o dia, na sexta-feira, e à noite. Depois, mais uma vez, na manhã de sábado, estávamos de volta ao Departamento de Estado. Eu conversei diversas vezes com o presidente na sexta. Ele esperava poder reunir-se conosco cedo o bastante para se decidir acerca de um plano de ação e anunciá-lo depois para a nação na noite do domingo. No sábado de manhã, às dez horas, liguei para o presidente, no hotel Blackstone, em Chicago, e lhe disse que estávamos prontos para nos reunir com ele. Agora tudo dependia de apenas um homem. Comitê nenhum tomaria a decisão por ele. Ele cancelou a viagem e retornou para Washington.

Enquanto ele retornava para Washington, nossas forças armadas em todo o mundo foram postas em alerta. Em uma ligação feita da nossa reunião no Departamento de Estado, o secretário McNamara ordenou que quatro esquadrões aéreos táticos fossem preparados para um ataque aéreo, caso o presidente decidisse aceitar essa recomendação.

O presidente chegou à Casa Branca às 13h40 e foi nadar. Eu me sentei à beira da piscina e nós conversamos. Às 14h30, fomos até a Sala Oval.

A reunião durou até as 17h10. Convocada como uma reunião formal do Conselho de Segurança Nacional, foi um grupo maior de pessoas que se reuniu, algumas delas não tendo participado das deliberações realizadas até o momento. Bob McNamara apresentou os argumentos a favor do bloqueio; outros apresentaram os argumentos para o ataque militar.

A discussão, em sua maior parte, foi competente e organizada, embora, como em toda reunião desse tipo, certas afirmações fossem feitas como obviedades aceitas, mas eu, pelo menos, achei que eram de validade questionável. Um membro do Estado-Maior Conjunto, por exemplo, argumentou que podíamos usar armas nucleares, com base em que nossos adversários usariam as deles contra nós, em um ataque. Eu pensei, enquanto ouvia, nas muitas vezes que ouvi os militares assumindo posições que, caso fossem equivocadas, tinham a vantagem de que não haveria ninguém no fim para saber disso.

O presidente tomou a decisão, nessa tarde, a favor do bloqueio. Houve uma última reunião na manhã seguinte, com o general Walter C. Sweeney Jr., comandante do Comando Aéreo Tático, que disse ao presidente que nem mesmo um grande ataque aéreo surpresa poderia com certeza destruir todas as bases de mísseis e armas nucleares em Cuba. Isso acabou com a pequena dúvida que ainda poderia restar na mente dele. Ele estava preocupado, achando que o bloqueio não bastaria para remover os mísseis – agora estava claro que um ataque não alcançaria esse objetivo também.

O argumento mais forte contra a ofensiva militar, para o qual ninguém soube dar uma resposta satisfatória, era que um ataque surpresa prejudicaria, se não destruísse por completo, a posição moral dos Estados Unidos em todo o mundo.

Adlai Stevenson viera de Nova York para participar da reunião da tarde de sábado, assim como participara de diversas reuniões do ExComm. Ele sempre tivera suas dúvidas com relação ao ataque aéreo, mas na reunião de sábado defendeu com firmeza algo que apenas sutilmente me sugerira alguns dias antes – a saber, que deixássemos claro para a União Soviética que, se eles retirassem os mísseis de Cuba, nós estaríamos dispostos a retirar nossos mísseis da Turquia e da Itália e abrir mão da nossa base naval na Baía de Guantánamo.

Houve uma reação extremamente intensa de alguns participantes a essa sugestão, e vários diálogos afiados se seguiram. O presidente, embora tivesse rejeitado a sugestão de Stevenson, apontou que, por um longo período, ele tivera reservas acerca do valor de ter mísseis Júpiter na Turquia e na Itália, e que algum tempo antes tinha pedido ao Departamento de Estado que conduzisse negociações para a retirada deles; mas agora, disse ele, não era o momento apropriado para sugerir essa ação, e não podíamos abrir mão da Baía de Guantánamo sob ameaças da Rússia.

Desde então, Stevenson foi criticado publicamente pela posição que assumiu nessa reunião. Eu acho que deveria ser enfatizado que ele estava apresentando um ponto de vista de uma perspectiva diferente da dos outros, perspectiva essa, portanto, que seria importante o presidente considerar. Embora eu discordasse com veemência das recomendações dele, achei que ele foi corajoso de sugeri-las, e devo acrescentar que elas faziam tanto sentido quanto outras consideradas durante esse período de tempo.

O discurso do presidente estava agendado para a noite de segunda. Sob a direção de George Ball, Alex Johnson e Ed Martin, foi arranjado um detalhado programa de uma hora, para informar os nossos aliados, nos preparar para a reunião com a OEA, notificar os embaixadores alocados em Washington e preparar para eles e outros, em forma escrita, a justificativa legal sobre a qual nossas ações seriam embasadas. Mais e mais oficiais do governo foram trazidos para dentro das discussões, e finalmente começou a vazar para a imprensa que uma séria crise era iminente. Por meio da intervenção pessoal do presidente em diversos jornais, as únicas histórias escritas na manhã de segunda-feira eram as notificações de que um grande discurso seria feito pelo presidente e que o país enfrentava uma séria crise.

Os esforços diplomáticos foram de grande significância. Fomos capazes de estabelecer uma fundação legal firme para a nossa ação sob a Carta da OEA, e nossa posição ao redor do mundo foi grandemente fortalecida quando a Organização dos Estados Americanos apoiou unanimemente a recomendação para uma quarentena. Desse modo, União Soviética e Cuba enfrentaram a ação conjunta de todo o Hemisfério Ocidental. Ademais, com o apoio de fotografias detalhadas, Dean Acheson – que compeliu o presidente por, mais uma vez, estar disposto a ajudar – foi capaz de rapidamente convencer o presidente francês Charles de Gaulle de quão correta era a nossa resposta e, mais tarde, de reassegurar o chanceler Adenauer. Macmillan deixou claro que os EUA teriam o apoio do país dele. E nesses dias de tensão, vale a pena lembrar que nenhum líder de país apoiou os EUA mais intensamente do que o francês. General de Gaulle disse: "É exatamente o que eu teria feito", acrescentando que não era necessário ver fotografias, pois "um grande governo, como o seu, não age sem evidências". O chanceler Konrad Adenauer, da Alemanha Ocidental, expressou seu apoio também, e a União Soviética não pôde mais separar os EUA da Europa. (John Diefenbaker, primeiro-ministro do Canadá, preocupava-se muito com como convencer o resto do mundo.)

Tudo isso foi feito simultaneamente com o discurso do presidente e foi possível somente por causa do trabalho imenso e meticuloso que o precedeu. Durante esse mesmo período, as preparações militares prosseguiam. As equipes de mísseis foram colocadas em alerta máximo. Foram movidas tropas para a Flórida e a parte sudeste dos Estados Unidos. Tarde da noite, no sábado, a Primeira Divisão Armada começou a passar do Texas para a Geórgia, e outras cinco divisões foram postas em alerta. A base na Baía de Guantánamo foi fortalecida.

A marinha lançou 180 navios para o Caribe. O Comando Aéreo Estratégico foi dispersado em campos de pouso civis por todo o país, para diminuir sua vulnerabilidade no caso de um ataque. A força de bombardeiros B-52 foi enviada para o ar totalmente carregada de armas atômicas. Quando uma pousava, outra imediatamente assumia o lugar desta no ar.

Uma hora antes do discurso do presidente, o secretário Rusk chamou o embaixador Dobrynin e lhe informou sobre o discurso.

Os jornais relataram que Dobrynin saiu da sala do secretário parecendo bastante abalado.

Na tarde dessa segunda-feira, antes do discurso e depois do almoço com Jackie, o presidente teve diversas reuniões. Na primeira, ele constituiu formalmente o nosso comitê – que até esse momento era chamado "o grupo" ou "conselho de guerra" –, sob o Memorando de Ação do Conselho de Segurança Nacional de Número 196, como o Comitê Executivo do Conselho Nacional de Segurança, "para o propósito de conduzir efetivamente as operações do braço executivo na crise vigente". O presidente tornou-se o líder oficial, e até que se dissesse o contrário, nós nos reuniríamos com ele toda manhã às dez horas.

Pouco depois, o presidente encontrou-se com os membros do Gabinete e lhes informou pela primeira vez acerca da crise. Em seguida, pouco antes da transmissão, encontrou-se com os líderes do Congresso. Essa foi a reunião mais difícil. Eu não participei, mas sei, por tê-lo visto depois, que foi um esforço tremendo.

Muitos líderes congressistas eram duros nas críticas que faziam. Eles achavam que o presidente deveria tomar uma atitude mais forçosa, um ataque militar ou uma invasão, e que o bloqueio era uma resposta muito fraca. O senador Richard B. Russel, da Geórgia, disse que não poderia conviver consigo mesmo se não dissesse, nos termos mais fortes que encontrasse, o quão importante seria que agíssemos com mais força do que o que o presidente estava demonstrando.

O senador J. William Fulbright, do Arkansas, também aconselhou com veemência a ação militar em vez de um passo tão fraco quanto o bloqueio. Outros disseram que não estavam convencidos da ideia, mas permaneceriam em silêncio publicamente, somente por ser um momento tão perigoso para o país.

O presidente, após escutar as críticas em geral emotivas, explicou que tomaria quaisquer atitudes necessárias para proteger a segurança dos Estados Unidos, mas que não achava que uma ação militar maior estava garantida, inicialmente. Visto que o problema poderia ser resolvido sem uma guerra devastadora, ele optara pelo plano de ação que tinha esboçado. Talvez no fim, disse ele, uma ação militar direta fosse necessária, mas essa linha não deveria ser seguida tão facilmente. Entrementes, ele lhes garantiu que tinha tomado medidas para preparar as nossas forças militares e posto todas em posição para entrar em ação.

Ele lembrou que assim que começasse um ataque, nossos adversários poderiam responder com uma leva de mísseis sob a qual milhões de norte-americanos seriam mortos. Essa era uma jogada que ele não estava disposto a fazer enquanto não tivesse finalmente e forçosamente exaurido todas as outras possibilidades. Ele lhes disse que essa era uma empreitada extremamente perigosa e que todos deviam entender os riscos envolvidos.

Quando terminou a reunião, o presidente estava chateado. Quando discutimos isso depois, ele foi mais filosófico, e apontou que a reação dos líderes do Congresso quanto ao que deveríamos fazer, embora mais militante do que a dele, foi basicamente a mesma que a nossa quando ouvimos sobre os mísseis, pela primeira vez, na terça-feira anterior.

Às sete, ele entrou na televisão, dirigindo-se à nação, para explicar a situação em Cuba e os motivos para a quarentena. Estava calmo e confiante de que tinha escolhido o melhor plano de ação.

Em seu discurso, ele enfatizou que o bloqueio era o passo *inicial*. Ele havia ordenado ao Pentágono que fizesse todos os preparativos necessários para ações militares posteriores. O secretário McNamara, num relatório confidencial, havia listado os requerimentos: 250 mil soldados, 2 mil tropas aéreas contra os diversos alvos em Cuba e 90 mil fuzileiros navais e soldados da Força Aérea na força de invasão. Uma estimativa das vítimas norte-americanas sugeriu a quantia de mais de 25 mil. O presidente deu sua aprovação para esses preparativos, e os planos seguiram adiante. Tropas moveram-se rapidamente para a parte sudeste dos EUA, equipadas e preparadas. Foram iniciados arranjos para juntar as mais de cem embarcações que seriam necessárias para uma invasão.

Fomos para a cama nessa noite cheios de preocupação e ansiedade, mas cheios também de uma sensação de orgulho da força, da determinação e da coragem do presidente dos Estados Unidos. Ninguém poderia prever o que estava para acontecer nos dias que se seguiram, mas todos nós achávamos que o presidente, por causa de sua sabedoria e dignidade pessoal, teria o apoio de um país unido.

"A reunião importante com a OEA..."

No dia seguinte, terça-feira, ocorreria a reunião importante com a OEA, previamente mencionada. Antecipava-se que teríamos dificuldade de obter os dois terços de votos de apoio necessários para determinar a quarentena. Contudo, os países latino-americanos, demonstrando um senso único de unidade, apoiaram unanimemente as recomendações dos Estados Unidos. Na verdade, alguns contribuíram com soldados, suprimentos e navios durante as diversas semanas que se seguiram.

Nosso grupo encontrou-se com o presidente às dez horas da manhã na Casa Branca. Havia certa sensação de leveza – não de alegria, certamente, mas uma sensação de relaxamento, talvez. Tínhamos dado o primeiro passo, que não foi nada mau, e ainda estávamos vivos.

Havia muito a reportar. John McCloy, que tinha sido alto comissário da Alemanha e conselheiro do presidente Kennedy em assuntos de Europa e segurança, tinha sido alocado na Alemanha, mas pediram que retornasse e se juntasse a Adlai Stevenson para apresentar o nosso caso para as Nações Unidas. Como republicano, ele tornava bipartidários os nossos esforços, e para equilibrar o ponto de vista de Stevenson, ele tinha, inicialmente, sido a favor de um ataque e de uma invasão militar contra Cuba.

John McCone relatou ao nosso comitê que, até o momento, não houvera alerta geral das forças soviéticas em Cuba, nem ao redor do globo. Nenhuma ação militar extraordinária de nenhum tipo fora reportada. Em Cuba, os russos não permitiam que ninguém além do pessoal técnico e militar russo entrasse nas bases de mísseis. Ele relatou também que eles estavam começando a camuflar as bases de mísseis. Nunca ficou claro por que eles esperaram até tão tarde para fazer isso.

O presidente ordenou preparativos para proceder com um possível bloqueio em Berlim. Também discutimos em detalhe o que seria feito se um avião U-2 fosse derrubado, concordando que – após obter permissão específica do presidente – caças e bombardeiros destruiriam uma base de mísseis superfície-ar. O secretário McNamara disse que um ataque desses poderia ocorrer dentro de duas horas após a notificação de que algum dos nossos aviões fora atingido.

A essa altura, o humor relaxado e leve havia desaparecido completamente. Isso levou apenas alguns minutos.

O presidente Kennedy expressou sua grande preocupação de que não poderia haver erros, e que qualquer ofensiva contra um dos nossos aviões deveria ser verificada antes que devolvêssemos o ataque. Ele questionou qual seria o destino dos pilotos que fossem derrubados. Em seguida pediu ao secretário McNamara que pusesse em movimento uma missão de resgate para suplementar nossos aviões U-2. Ele concordou com o secretário McNamara de estender certas viagens de serviço militar e que preparasse a 101ª Divisão Aerotransportada para ação inicial. Ele queria se certificar de que tínhamos tomado todas as medidas necessárias, caso houvesse uma reação militar da parte dos soviéticos.

"A única coisa que vou repetir é que, se a resposta russa tornar inevitável uma ação militar ou uma invasão, quero poder ter a sensação de que não teremos que perder nem um dia que seja nos preparando", ele disse.

Ao final da reunião, o presidente apontou que um ataque a uma das instalações deles poderia muito bem gerar um ataque contra o nosso campo aéreo. Ele pediu um relatório dos militares quanto a se os nossos aviões tinham sido dispersados. Quando foi relatado a ele que as nossas fotografias mostravam que os russos e os cubanos tinham inexplicavelmente alinhado seus aviões lado a lado nos campos aéreos cubanos, fazendo deles alvos perfeitos, ele pediu ao general Taylor que mandasse um U-2 numa missão fotográfica sobre os nossos campos na Flórida. "Será interessante caso tenhamos feito a mesma coisa", ele comentou. E tínhamos feito. Ele examinou as fotos no dia seguinte e ordenou à Força Aérea que dispersasse os nossos aviões.

Finalmente, ele fez arranjos para reunir-se regularmente com embaixadores de países europeus, para preparar um bloqueio em Berlim, bem como outras contingências em outros locais. Nada, nem uma questão mais pesada, nem um pequeno detalhe, nada foi esquecido.

Retornamos por volta das seis da tarde. A OEA havia anunciado o seu apoio, e o presidente preparou a proclamação que colocaria a quarentena em efeito às dez horas da manhã seguinte.

Ao longo dessa reunião, descobrimos que uma quantia extraordinária de mensagens codificadas tinha sido enviada a todos os navios russos a caminho de Cuba. O que diziam, nós não sabíamos na época, e não sabemos até hoje, mas ficou claro que os navios, naquele momento, seguiam seu curso sem desvios.

O presidente escreveu uma carta para Khrushchev pedindo-lhe que observasse a quarentena estabelecida legalmente por voto da OEA, deixando claro que os EUA não desejavam atirar em nenhum navio da União Soviética, e acrescentou no final: "Estou preocupado com que nós dois mostremos prudência e não façamos nada para permitir que os eventos tornem a situação ainda mais difícil de controlar do que já está".

Em seguida, discutimos em detalhe as regras que seriam passadas à marinha, para quando interceptassem uma embarcação mercantil na zona de quarentena. Para evitar um confronto militar maior, caso um embarcação se recusasse a parar, a marinha deveria atirar nos lemes e nos propulsores, incapacitando a embarcação, mas, se possível, evitando toda e qualquer perda de vidas e que se afundasse o navio. O presidente, então, demonstrou receio de subir a bordo dessas embarcações caso os russos resolvessem resistir. Podíamos esperar uma briga dura e violenta e muitas perdas, disse ele. O secretário McNamara achava que não era preciso subir a bordo da embarcação, mas que esta teria de ser, dentro de um razoável e curto período de tempo, rebocada para Jacksonville ou Charleston.

"O que vocês fariam, então", disse o presidente, "se tivéssemos todo esse trabalho e descobríssemos que tem comida de bebê no navio?". Todos concordaram que devíamos tentar interceptar as embarcações em que fosse muito evidente que havia equipamento militar, mas como tratar as outras embarcações, entrementes, mostrava-se um problema muito sério. Qual critério poderíamos usar para deixar alguns navios mercantes passar e impedir outros? E como teríamos certeza?

Nossos problemas, nesse dia, estavam longe de acabar. John McCone relatou que submarinos russos estavam começando a avançar para o Caribe. Um tinha reabastecido no dia anterior, nos Açores, e seguia direto para Cuba. O presidente ordenou que a marinha desse prioridade máxima para o rastreio dos submarinos e que pusesse em ação as maiores medidas de segurança possíveis para proteger os nossos porta-aviões e outras embarcações.

Após a reunião, o presidente, Ted Sorensen, Kenny O'Donnell e eu nos sentamos na sala dele e conversamos. "O maior perigo, o maior risco nisso tudo", disse ele, "é um erro de cálculo – um erro de discernimento". Pouco tempo antes, ele tinha lido o livro de Barbara Tuchman *The Guns of August* [As armas de agosto], e falou sobre os erros de cálculo de alemães, russos, austríacos, franceses e britânicos. Era como se, de algum modo, eles tivessem tropeçado e caído na guerra, disse ele, por causa de estupidez, idiossincrasias individuais, compreensões equivocadas e complexos de inferioridade e grandeza pessoal. Falamos sobre os erros de cálculo dos alemães em 1939 e os compromissos e garantias que os britânicos ainda não tinham cumprido, do que tinha sido prometido à Polônia.

Nenhuma das partes queria travar uma guerra por Cuba, nós concordamos, mas era possível que cada um dos lados desse um passo que – por motivo de "segurança", "orgulho" ou "reputação" – requereria uma reposta do outro lado, que, por sua vez, pelos mesmos motivos de segurança, orgulho ou reputação, geraria uma contrarresposta e finalmente o agravamento até o conflito armado. Era isso que ele queria evitar. Ele não queria que nenhuma pessoa fosse capaz de dizer que os EUA não tinham feito tudo que podiam para preservar a paz. Nós não podíamos julgar errado, calcular errado ou desafiar o outro lado sem necessidade, ou direcionar, precipitadamente, os nossos adversários para um plano de ação do qual não tinham intenção nem expectativa.

Mais tarde, o presidente e eu conversamos um pouco sozinhos. Ele sugeriu que eu podia visitar o embaixador Dobrynin e relatar-lhe pessoalmente sobre as sérias implicações da duplicidade russa e a crise que haviam criado com a presença de seus mísseis em Cuba.

"Encontrei-me com Dobrynin..."

Liguei para Dobrynin e fiz arranjos para vê-lo às 21h30 nessa mesma noite de terça-feira. Encontrei-me com ele em sua sala, no terceiro andar da embaixada russa. Revimos juntos as circunstâncias das seis semanas anteriores que tinham suscitado esse confronto. Eu pontuei para ele que, quando nos encontramos no começo de setembro, ele tinha me dito que os russos não tinham colocado mísseis de longo alcance em Cuba e não tinham intenção de fazê-lo no futuro.

Ele me interrompeu nesse momento e disse que isso era exatamente o que ele tinha me dito, e que me dera a palavra dele de que a União Soviética não colocaria mísseis em Cuba que pudessem alcançar os Estados Unidos continentais.

Eu disse que, com base nessa afirmação e na afirmação subsequente da Tass, a agência de notícias soviética, o presidente tomara uma atitude menos belicosa para com as ações da União Soviética do que outras figuras políticas dos EUA, e garantiu ao povo norte-americano que não havia necessidade de uma ação militar contra Cuba. Agora, o presidente sabia que tinha sido enganado, e isso causara implicações devastadoras para a paz mundial.

A única resposta de Dobrynin foi que ele tinha me dito que não havia mísseis em Cuba; que era isso que Khrushchev tinha dito, e, até onde ele sabia, ainda não havia míssil algum em Cuba. Ele, então, me perguntou por que o presidente Kennedy não contara esses fatos a Gromyko quando o vira na terça-feira anterior.

Eu respondi dizendo que não havia nada que o presidente poderia contar a Gromyko que este já não soubesse — e, afinal, por que Gromyko não contara essas coisas ao presidente? Na verdade, o presidente ficou chocado que as afirmações de Gromyko, mesmo a essa altura, tivessem sido tão enganadoras. Dobrynin ficou extremamente preocupado. Quando eu saía, perguntei-lhe se os navios soviéticos atravessariam para chegar a Cuba. Ele respondeu que essas eram as instruções deles, e que ele não sabia de mudança alguma.

Eu saí da embaixada russa em torno das 22h15 e voltei para a Casa Branca. Encontrei o presidente em reunião com o embaixador David Ormsby-Gore, da Grã-Bretanha, um velho amigo em quem ele confiava implicitamente. Relatei a conversa para ambos. O presidente falou sobre a possibilidade de arranjar uma reunião de cúpula emergencial com Khrushchev, mas acabou dispensando a ideia, concluindo que uma reunião como essa seria inútil enquanto Khrushchev não aceitasse, como resultado das nossas ações tanto quanto das nossas afirmações, a determinação dos

EUA nessa questão. Antes que ocorresse uma reunião de cúpula, e deveria ocorrer, o presidente queria ter umas cartas na manga.

O embaixador Ormsby-Gore expressou receio de que a linha de interceptação da quarentena tivesse sido estendida em pouco mais de mil quilômetros. Isso resultaria em uma provável interceptação, dentro de poucas horas após a quarentena ter sido efetivada. "Por que não lhes damos mais tempo", disse ele, "para analisar a posição deles?". Esse valor de pouco mais de mil quilômetros havia sido fixado pela marinha para ficar fora do alcance de alguns dos caças MIG de Cuba. O presidente chamou McNamara e diminuiu o alcance para oitocentos quilômetros.

Na manhã seguinte, de quarta-feira, a quarentena foi efetivada, e os relatos durante as primeiras horas informavam que os navios russos seguiam firmes rumo a Cuba. Falei com o presidente por alguns instantes antes de entrarmos na nossa reunião de sempre. Ele disse:

– Parece bem ruim, não é mesmo? Mas não havia outra escolha. Se eles agem dessa forma agora, na nossa parte do mundo, o que farão em seguida?

– Eu acho que não havia outra escolha – eu disse –, e não é só isso. Se você não tivesse agido, você teria levado um *impeachment*.

O presidente pensou por um momento e disse:

– É isso que eu penso... eu teria levado um *impeachment*.

A escolha era ter entrado lá e tomado medidas que não eram necessárias ou ter agido como nós fizemos. Pelo menos, agora nós tínhamos o apoio de todo o Hemisfério Ocidental e de todos os nossos aliados ao redor do globo.

Nessa reunião de quarta de manhã, junto à do sábado seguinte, 27 de outubro, pareceu ser a mais penosa, a mais difícil e a mais cheia de tensão. Os navios russos seguiam em frente, estavam se aproximando da barreira dos oitocentos quilômetros, e tínhamos de interceptá-los ou anunciar que estávamos recuando. Sentei-me à mesa do lado oposto ao do presidente. Esse era o momento para o qual tínhamos nos preparado, o que esperávamos que nunca chegaria. O perigo e o receio que todos nós sentíamos pendia como uma nuvem acima de todos nós e principalmente acima do presidente.

Os U-2 e os aviões de voo baixo tinham retornado no dia anterior com o filme, que ao longo da noite foi analisado – a essa altura, em tamanho volume, que apenas o filme media mais de quarenta quilômetros. Os resultados nos foram apresentados na reunião. As plataformas de lançamento, os mísseis, as caixas de concreto, os abrigos de estoque nuclear, todos os componentes estavam lá, agora claramente definidos, em evidência. Comparações com as fotos de poucos dias antes deixavam claro que o trabalho nessas bases estava prosseguindo e que dentro de poucos dias várias das plataformas de lançamento estariam prontas para a guerra.

Eram dez e pouco da manhã. O secretário McNamara anunciou que dois navios russos, o *Gagarin* e o *Komiles*, estavam a poucos quilômetros da nossa barreira de quarentena. A interceptação dos dois navios ocorreria, provavelmente, antes do meio-dia, horário de Washington. De fato, a expectativa era de que pelo menos uma das embarcações seria parada e abordada entre 10h30 e 11h.

Foi então que chegou o perturbador relatório da marinha informando que um submarino russo havia se colocado em posição entre os dois navios.

Planejara-se, originalmente, que um cruzador faria a primeira interceptação, mas, por causa do aumento no perigo, foi decidido, nas últimas horas, enviar um porta-aviões com o suporte de helicópteros, portando equipamento antissubmarino, pairando acima. O cargueiro *Essex* deveria sinalizar ao submarino, por sonar, que emergisse e se identificasse. Caso se recusasse, disse o secretário McNamara, cargas de profundidade com um pequeno explosivo seriam usadas até que o submarino emergisse.

Acho que esses minutos foram o momento de maior preocupação para o presidente. Estaria o mundo à beira de um holocausto? Tinha sido erro nosso? Um equívoco? Havia algo mais que deveria ter sido feito? Ou não feito? O presidente levou a mão ao rosto e cobriu a boca. Abriu e fechou o punho. No rosto, a angústia; nos olhos a dor, quase cinza. Nós nos olhamos, de lados opostos na mesa. Por alguns breves segundos, foi quase como se não houvesse mais ninguém ali e ele não fosse mais o presidente.

Inexplicavelmente, eu pensei em quando ele adoeceu e quase morreu; quando perdeu o filho; quando ficamos sabendo que o nosso irmão mais velho tinha sido morto; em momentos pessoais de pesar e dor. As vozes continuavam a zumbir, mas eu parecia não entender nada do que diziam até que ouvi o presidente dizer:

– Não há um jeito de evitarmos ter esse primeiro contato com um submarino russo? Qualquer coisa menos isso.

– Não, nossos navios estão correndo grave perigo. Não há alternativa – disse McNamara. – Nossos comandantes foram instruídos a evitar hostilidades, se for possível, mas é para isso que devemos estar preparados, e é isso que devemos esperar.

Tínhamos chegado ao momento da decisão final.

– Devemos esperar que eles fechem Berlim; fazer os preparativos finais para isso – disse o presidente.

Eu sentia que estávamos à beira de um precipício e não tínhamos como voltar. Dessa vez, o momento era agora – não semana que vem, nem amanhã, "então podemos fazer outra reunião e decidir"; não daqui há oito horas, "portanto podemos mandar mais uma mensagem a Khrushchev e quem sabe ele finalmente vai entender". Não, nada disso era possível. A mais de mil quilômetros e meio dali, na vasta expansão do Oceano Atlântico, a decisão final seria tomada nos próximos minutos. O presidente Kennedy tinha dado início a uma corrente de eventos, mas já não tinha mais controle sobre eles. Ele teria de esperar – nós teríamos de esperar. Os minutos passavam lentamente na Sala do Gabinete. O que podíamos dizer agora – o que podíamos fazer?

Então eram 10h25 – um mensageiro trouxe um recado para John McCone.

– Sr. Presidente, temos um relatório preliminar que parece indicar que alguns dos navios russos estão totalmente parados na água.

Totalmente parados na água? Quais navios? Alguém checou a veracidade desse relatório? Isso é verdade? Olhei para o relógio. 10h32.

– O relatório está correto, Sr. Presidente. Seis navios que estavam a caminho de Cuba à beira da linha da quarentena pararam ou estão retornando para a União Soviética. Um representante do Escritório da Inteligência Naval está a caminho com o relatório completo.

Pouco tempo depois, chegou o relatório informando que os vinte navios russos que estavam mais perto da barreira tinham parado totalmente na água ou dado meia-volta.

– Então nenhum navio será parado ou interceptado – disse o presidente.

Eu disse que devíamos nos certificar de que a marinha sabia que não era para fazer nada, que eles não deveriam interferir com navio algum. As ordens partiriam para a marinha imediatamente.

– Se os navios receberam ordens para dar meia-volta, temos de lhes dar toda a chance de fazer isso. Entre em contato direto com o *Essex* e diga-lhes para não fazerem nada, que deem chance às embarcações russas para recuar. Temos de ser rápidos porque estamos ficando sem tempo – disse o presidente.

E então nos concentramos nos detalhes. A reunião prolongou-se. Mas todos pareciam pessoas diferentes. Por um momento, o mundo ficou suspenso, e agora voltava a girar.

"O perigo estava longe de acabar."

Apesar do que aconteceu, o perigo estava longe de acabar. Ficamos sabendo mais tarde que catorze dos navios tinham parado ou retornado para a Rússia. A maioria dos que prosseguiam eram petroleiros.

O navio que se tornou o motivo de maior preocupação era um petroleiro russo chamado *Bucareste*. Durante o dia, ele tinha alcançado a barreira, se identificado a um dos nossos navios, e, por ser um petroleiro, foi-lhe permitido passar. Havia pouca chance de que o *Bucareste* carregasse mísseis ou qualquer tipo de armamento coberto pela quarentena. Não obstante, havia alguns do Comitê Executivo que defendiam intensamente que o *Bucareste* deveria ser parado e abordado, para que Khrushchev não tivesse dúvida das nossas intenções. O próprio presidente enfatizara que, em algum momento, nós teríamos que parar e abordar um dos navios que se aproximassem de Cuba. Aqueles que eram a favor de deixar o

Bucareste passar argumentavam que ele provavelmente não carregava contrabando e que Khrushchev precisava de mais tempo para considerar o que devia fazer.

O presidente prorrogou a decisão e ordenou que o *Bucareste* fosse segurado pelos navios de guerra norte-americanos. Nesse momento, ele seguia rumo a Cuba a dezessete nós, e uma decisão tinha de ser tomada antes do anoitecer.

Enquanto isso, o mundo inteiro estava ficando cada vez mais alarmado. Todo tipo de pessoa, oficialmente ou não, dava conselhos e opiniões. Bertrand Russel enviou uma mensagem para Khrushchev elogiando-o por sua postura conciliatória e uma mensagem para o presidente Kennedy castigando os Estados Unidos por sua atitude belicosa. O presidente tirou um tempo de suas outras deliberações para escrever pessoalmente uma resposta:

"Creio que a sua atenção deveria voltar-se para o ladrão, em vez de para aqueles que pegaram o ladrão."

U Thant, secretário-geral em exercício das Nações Unidas, sugeriu que a quarentena fosse suspensa por várias semanas se, em retorno, os russos concordassem em não mandar mísseis para Cuba. Khrushchev concordou e sugeriu uma reunião de cúpula. O presidente Kennedy respondeu que a crise tinha sido "criada pela introdução secreta de armas ofensivas em Cuba e a resposta jaz na remoção dessas armas". Ele acrescentou que ficaríamos muito contentes em ter quaisquer discussões que levassem a uma solução satisfatória e pacífica, mas os mísseis de Cuba tinham de ser removidos.

Adlai Stevenson, em uma reunião do Conselho de Segurança das Nações Unidas, confrontou publicamente o embaixador V. A.

Robert F. Kennedy

Zorin, da União Soviética. O presidente Kennedy tinha feito arranjos para que fotografias das bases de mísseis fossem encaminhadas para Stevenson. Muitos jornais em todo o mundo, e principalmente na Grã-Bretanha, duvidavam abertamente do posicionamento dos EUA. Sob insistência de Pierre Salinger, secretário de Imprensa do presidente, e de Don Wilson, representante da USIA, a Agência de Informações dos Estados Unidos, o presidente, em 23 de outubro, liberou as fotos para uso nas Nações Unidas e para publicação. Stevenson usou as fotos com grande habilidade em seu dramático confronto televisionado com os russos:

– Bem, deixe-me dizer-lhe uma coisa, Sr. Embaixador, nós temos evidências sim. Nós a temos, e é tudo claro e incontestável. E deixe-me dizer outra coisa. Aquelas armas têm que ser tiradas de Cuba... Vocês, da União Soviética, mandaram essas armas para Cuba. Vocês, da União Soviética, criaram esse novo perigo, não os Estados Unidos... Finalmente, Sr. Zorin, devo lembrá-lo de que, outro dia, o senhor não negou a existência dessas armas. Mas hoje, mais uma vez, se eu o ouvi corretamente, o senhor agora diz que elas não existem, ou que nós não provamos que elas existem. Muito bem, senhor, deixe-me fazer-lhe uma pergunta simples. O senhor, embaixador Zorin, nega que a URSS colocou e está colocando mísseis de alcance médio e intermediário e bases em Cuba? Sim ou não? Não espere a tradução, sim ou não?

– Eu não estou num tribunal americano, senhor – rebateu Zorin –, e portanto não quero responder a uma pergunta que me foi colocada da maneira com que um promotor faz perguntas. Com o devido tempo, o senhor terá a sua resposta.

– O senhor está no tribunal da opinião mundial, agora, e pode responder sim ou não. O senhor negou que elas existem, e eu quero saber se eu entendi direito.

– Continue com a sua afirmação. O senhor terá a sua resposta no devido tempo.

– Estou pronto para esperar a resposta até que o inferno congele, se essa é a sua decisão. E também estou pronto para apresentar as evidências nesta sala.

E com isso Stevenson revelou as fotografias dos mísseis e das bases russos, com efeito devastador.

Nessa noite, o presidente, após mais discussões acaloradas, tomou a decisão final de permitir que o *Bucareste* atravessasse e fosse para Cuba. Contra o conselho de muitos de seus conselheiros e dos militares, ele decidiu dar mais tempo a Khrushchev.

– Não queremos pressioná-lo para tomar uma atitude precipitada; dê-lhe tempo para ponderar. Não quero colocá-lo num canto do qual ele não poderá escapar.

Entrementes, no entanto, ele aumentou a pressão de outras maneiras. Grupos de oito aviões de voo baixo sobrevoavam Cuba de manhã e de tarde, suplementando as fotografias dos U-2. Todos os seis submarinos russos que estavam na área ou seguiam para Cuba, vindos do Atlântico, foram seguidos e assediados e, vez por outra, forçados a submergir na presença de navios militares dos EUA.

A essa altura, na região do Caribe, em torno de Cuba, tínhamos 25 destroieres, dois cruzadores, diversos submarinos, diversos cargueiros e um grande número de navios de apoio.

Robert F. Kennedy

Na noite de terça-feira, 25 de outubro, nossas fotografias aéreas revelaram que o trabalho nas bases de mísseis estava prosseguindo em um ritmo rápido, extraordinário. Na noite seguinte, de 26 de outubro, ficou claro que os bombardeiros IL-28 estavam também sendo rapidamente desembalados e montados.

A essa altura, um navio de passageiros da Alemanha Oriental que levava em torno de 1500 pessoas tinha alcançado a barreira. Mais uma decisão teve de ser tomada. Novamente, houve fortes argumentos dentro do nosso grupo quanto ao que deveria ser feito. Novamente, houve aqueles que urgiam que o navio fosse impedido; que isso não envolveria diretamente o prestígio dos russos, como não era um navio de registro soviético, e impedi-lo não violaria o pedido de U Thant de que nós não interferíssemos com embarcações russas. O presidente concluiu, finalmente, que o risco para a vida era grande demais – com tantas pessoas a bordo do navio, e a possibilidade era grande demais de que algo desse muito errado – que era melhor deixar a embarcação passar.

"Houve comunicações quase
diárias com Khrushchev."

Houve comunicações quase diárias com Khrushchev. Na segunda-feira, 22 de outubro, dia do discurso feito para a nação, o presidente Kennedy enviou uma longa carta e uma cópia do pronunciamento diretamente para o líder soviético. Ao longo da carta, ele disse: "Nas nossas discussões e nos diálogos acerca de Berlim e outras questões internacionais, a coisa que mais me preocupava era a possibilidade de que o seu governo não entenderia corretamente a vontade e a determinação dos Estados Unidos em qualquer situação, visto que eu não supus que você nem qualquer outro homem são, nesta era nuclear, deliberadamente mergulharia o mundo em uma guerra que, claro como cristal, nenhum país poderia vencer e que só poderia resultar em consequências catastróficas para o mundo todo, incluindo o agressor".

Khrushchev, em uma carta recebida em 23 de outubro, acusara o presidente de ameaçá-lo e à União Soviética com o bloqueio e afirmou que este não seria observado pela União Soviética. "As ações dos EUA com relação a Cuba são banditismo descarado ou, se preferir, a insensatez do imperialismo degenerado." Os EUA, disse ele, estavam empurrando a humanidade "para o abismo de uma guerra nuclear mundial", e a União Soviética não daria instruções aos capitães dos navios soviéticos rumo a Cuba para obedecer às ordens das forças navais norte-americanas. Se alguma tentativa de interferir com os navios soviéticos fosse feita, "nós seríamos forçados, então, a tomar as medidas que considerássemos necessárias e adequadas no intuito de proteger os nossos direitos. Para isso, temos tudo que é necessário".

O presidente respondeu na quinta-feira, 25 de outubro, reafirmando o que havia acontecido e enfatizando que – apesar das garantias particulares e públicas de que os mísseis não seriam colocados em Cuba –, esse passo tinha sido dado pela União Soviética.

"No início de setembro, eu indiquei muito claramente que os Estados Unidos considerariam qualquer envio de armas ofensivas como expressão dos mais graves problemas. Depois dessa época, este governo recebeu as garantias mais explícitas do seu governo e seus representantes, tanto em público quanto em particular, que nenhuma arma ofensiva estava sendo enviada a Cuba. Se o senhor revir a afirmação feita por Tass em setembro, verá quão claramente essa garantia foi dada.

"Confiando nessas garantias solenes, eu exigi restrição daqueles, neste país, que estavam demandando ação nessa questão, na época. E então, eu descobri, sem a menor dúvida, aquilo que você não negou – a saber, que todas essas garantias públicas eram falsas e que os seus militares tinham recentemente se organizado para estabelecer um conjunto de bases de mísseis em Cuba. Peço que o senhor reconheça com clareza, Sr. Khrushchev, que não foi eu quem emitiu o primeiro desafio neste caso, e que, à luz deste registro, essas atividades em Cuba requeriam as respostas que eu anunciei.

"Eu repito que lamento que esses eventos causem uma deterioração nas nossas relações."

E em seguida ele acrescentou, de forma muito simples: "Espero que o seu governo tome a ação necessária para permitir uma restauração da situação anterior".

Todos os nossos esforços e cartas, no entanto, pareciam surtir pouco efeito. Pelo contrário, enquanto aguardávamos a reposta da última comunicação feita pelo presidente Kennedy com Khrushchev, chegaram relatórios informando que um número ainda maior de funcionários russos estava trabalhando para acelerar a construção das bases de mísseis e montar os IL-28.

Às sete da manhã de sexta-feira, 26 de outubro, a primeira embarcação foi parada e abordada. Era, sem dúvida, um navio internacional – o *Marucla*, um navio construído nos EUA da classe Liberty, cujo dono era do Panamá, registrado no Líbano e a caminho de Cuba sob contrato soviético, que partia do porto báltico de Riga. O *Marucla* tinha sido avistado na noite anterior e seguido por dois destroieres: o *John Pierce* e – uma surpresa para o presidente Kennedy – o *Joseph P. Kennedy Jr.*, destroier batizado em homenagem ao mais velho membro da nossa família, que era piloto da marinha e fora morto na Segunda Guerra Mundial. O *Marucla* tinha sido cautelosa e pessoalmente escolhido pelo presidente Kennedy para ser o primeiro navio parado e abordado. Ele estava demonstrando para Khrushchev que íamos forçar a quarentena e, no entanto, por não ser uma embarcação de dono soviético, isso não representava uma afronta direta aos soviéticos, que requereria uma resposta deles. Isso lhes deu mais tempo, mas simultaneamente demonstrava que os EUA não estavam de brincadeira.

Às 7h24, uma equipe de bordo armada dos dois destroieres chegou perto do *Marucla*, e às 8h00 estava a bordo e tinha começado a inspeção. Não houve incidentes. Constatou-se que a embarcação não continha armas e foi-lhe permitido seguir viagem.

O fato de que essa inspeção foi realizada com sucesso, no entanto, não removeu a sensação de receio que se instalava sobre o nosso comitê e suas deliberações. A União Soviética havia sido inflexível na recusa de reconhecer a quarentena. Ao mesmo tempo, estava obviamente preparando mísseis em Cuba para possível uso. O presidente, em resposta, ordenou um aumento gradual na pressão, ainda tentando evitar a alternativa da ação militar direta. Ele aumentou o número de voos baixos sobre Cuba de duas vezes ao dia para uma vez a cada duas horas. Seguiram-se preparativos para voos noturnos, que tirariam fotos das bases de mísseis com sinalizadores que seriam jogados por toda a ilha. Ao Departamento de Estado e ao Departamento de Defesa foi pedido que se preparassem para acrescentar petróleo e lubrificantes na lista de embargo.

Contudo, em particular, o presidente não estava empolgado nem com os resultados desses esforços. A cada hora a situação ia ficando mais séria. Crescia a sensação de que a situação não iria melhorar e que um confronto militar direto entre as duas maiores potências nucleares era inevitável. Os dois lados do nosso grupo perceberam que a nossa combinação de força limitada e esforços diplomáticos não tinha sido bem-sucedida. Se os russos continuassem a ser ferrenhos e continuassem a construir sua brigada de mísseis, a ação militar seria a única opção.

"Esperar muitas perdas caso
ocorresse uma invasão."

Na manhã de sexta-feira, o presidente Kennedy ordenou ao Departamento de Estado que começasse os preparativos para um programa de impacto sobre o governo civil em Cuba, que seria estabelecido após a invasão e a ocupação do país. O secretário McNamara relatou a conclusão dos militares de que deveríamos esperar muitas perdas caso ocorresse uma invasão.

O presidente dirigiu-se a todos nós:

– Teremos de encarar o fato de que, se realmente invadirmos, na hora em que chegarmos a essas bases, após uma luta muito sangrenta, elas estarão apontadas para nós. E devemos aceitar, além disso, a possibilidade de que, quando as hostilidades militares começarem, esses mísseis sejam disparados.

John McCone disse que todos deviam entender que uma invasão seria uma empreitada muito mais séria do que a maioria das pessoas imaginara previamente.

— Eles têm equipamento pra diabo — disse ele. — E será difícil pra caramba atirar neles naqueles morros, como vimos tão claramente na Coreia.

Apesar da grande pressão para tomar decisões importantes, o presidente Kennedy seguia cada detalhe. Ele pediu, por exemplo, os nomes de todos os médicos cubanos da área de Miami, caso seus serviços fossem requeridos em Cuba. Ao ficar sabendo que um navio militar norte-americano com equipamento extremamente sensível (similar ao Liberty, que foi atacado por Israel durante a guerra com os árabes) estava muito perto da costa de Cuba, ele ordenou que fosse mais para longe, no mar, onde ficaria menos vulnerável ao ataque. Ele supervisionava tudo, desde o conteúdo dos panfletos a serem lançados em Cuba até a reunião de navios para a invasão.

Entrementes, esperávamos a resposta de Khrushchev.

Às seis da tarde, chegou a mensagem.

Já se escreveu muito acerca dessa mensagem, incluindo a alegação de que, na época em que Khrushchev a escreveu, ele devia estar tão instável ou emotivo que tinha ficado incoerente. Não havia dúvida de que a carta tinha sido escrita por ele pessoalmente. Era muito longa e emotiva. Mas não era incoerente, e a emoção era direcionada para a morte, a destruição e a anarquia que a guerra nuclear traria sobre o povo dele e toda a humanidade. Isso, ele disse várias vezes e de diversas formas, deveria ser evitado.

Não podemos sucumbir a "paixões insignificantes" ou a "coisas transientes", ele escreveu, mas devemos entender que "se, de fato, a guerra estourar, então não estaria no nosso poder contê-la, pois essa é a lógica da guerra. Eu participei de duas guerras e sei que a guerra termina quando já varreu cidades e vilas, em todo lugar semeando morte e destruição". Os Estados Unidos, ele prosseguiu dizendo, não deveriam preocupar-se com os mísseis em Cuba; estes jamais seriam usados para atacar os Estados Unidos e estavam ali à guisa de defesa, apenas. "Podem ficar tranquilos com relação a isso, que temos a mente sã e entendemos perfeitamente bem que, se nós atacarmos vocês, vocês responderão na mesma moeda. Mas vocês também receberão o mesmo que lançam contra nós. E eu acho que vocês também entendem isso... Isso indica que somos pessoas normais, que entendemos corretamente e avaliamos corretamente a situação. Consequentemente, como podemos permitir as ações incorretas que vocês atribuem a nós? Somente lunáticos ou suicidas, que querem perecer e destruir o mundo inteiro antes de morrer, poderiam fazer isso."

Mas ele prosseguiu: "Nós queremos algo bem diferente... não destruir o seu país... mas apesar das nossas diferenças ideológicas, competir pacificamente, não por meios militares".

Não havia propósito para nós, disse ele, em interferir em qualquer um dos navios que estavam rumo a Cuba, pois eles não continham armas. Ele explicou, então, por que eles não carregavam mísseis: todas as armas enviadas já estavam dentro de Cuba. Essa foi a primeira vez que ele reconheceu a presença de mísseis em Cuba. Ele fez referência ao pouso na Baía dos Porcos e ao fato de que o presidente Kennedy lhe dissera, em Viena, que aquilo era um erro. Ele valorizava essa franqueza, escreveu Khrushchev, e ele também tinha coragem similar, pois reconhecera "aqueles erros que tinham sido cometidos durante a história do nosso Estado eu não somente reconheço, mas os condeno duramente".

(O presidente Kennedy lhe dissera, em Viena, que ele estava sempre pronto para reconhecer e condenar os erros de Stalin e outros, mas nunca reconhecia os próprios erros.)

O motivo pelo qual ele enviara essas armas para Cuba era que os Estados Unidos estavam interessados em derrubar o governo cubano, como já tinham ativamente tentado derrubar o governo comunista na União Soviética após a revolução deles. Khrushchev e o povo soviético desejavam ajudar Cuba a se proteger.

Mas então ele prosseguiu: "Se fossem dadas garantias de que o presidente dos Estados Unidos não participaria de um ataque a Cuba e que o bloqueio seria removido, então a questão da remoção ou da destruição das bases de mísseis em Cuba seria uma questão completamente diferente. Armas trazem apenas desastre. Quando alguém as acumula, isso prejudica a economia, e se alguém as põe em uso, isso destrói pessoas dos dois lados. Consequentemente, apenas um maluco pode crer que as armas são o principal meio na vida da sociedade. Não, elas são uma perda de energia humana forçada, e, além disso, causam a destruição do próprio homem. Se as pessoas não demonstrarem sabedoria, em última análise, elas acabarão colidindo, como toupeiras cegas, e então a exterminação recíproca começará".

Essa é a minha proposta, disse ele. Mais nenhuma arma para Cuba e aquelas que estão dentro de Cuba deverão ser retiradas ou destruídas, e você, reciprocamente, retira o bloqueio e também concorda em não invadir Cuba. Não interfira, disse ele, como um pirata nos navios russos. "Se o senhor não perdeu seu autocontrole e pode conceber a que isso pode levar, então, Sr. Presidente, nós e vocês não podemos puxar as pontas da corda na qual você deu o nó da guerra, porque quanto mais nós dois puxarmos, mais apertado ficará o nó. E chegará um momento em que esse nó será apertado tão firme que mesmo aquele que o apertou não terá a força para desfazê-lo, e então será necessário cortar esse nó, e o que isso significaria eu não preciso explicar-lhe, pois o senhor entende perfeitamente de quais forças terríveis os nossos países dispõem. Em consequência, se não existe intenção de apertar esse nó, e com isso condenar o mundo à catástrofe da guerra termonuclear, então vamos não somente atenuar as forças que puxam as pontas da corda, vamos tomar medidas para desfazer esse nó. Estamos prontos para isso".

A mensagem foi examinada e reexaminada em uma reunião que fizemos tarde da noite na sexta-feira. Com o passar das horas ao longo da madrugada, foi finalmente decidido que o Departamento de Estado forneceria uma análise e algumas recomendações acerca de como a mensagem deveria ser respondida; e que nos reuniríamos de novo na manhã de domingo, 27 de outubro.

Eu tinha uma leve sensação de otimismo quando ia para casa, vindo do Departamento de Estado, nessa noite. A carta, com toda a sua retórica, tinha os inícios de, quem sabe, um entendimento, um acordo. A sensação era fortalecida pelo fato de John Scali, repórter muito hábil e experiente da ABC, ter sido abordado por um oficial importante da embaixada soviética com a proposta de que a União Soviética removeria os mísseis sob supervisão e inspeção das Nações Unidas e que os Estados Unidos retirariam o bloqueio e dariam a garantia de que não invadiriam Cuba, como sua parte no acordo.

Ao repórter foi pedido que transmitisse a mensagem ao governo dos Estados Unidos, algo que ele fez de imediato.

Por que eles escolheram esse meio de comunicação, não ficou claro, mas um procedimento não ortodoxo desse tipo não era incomum para a União Soviética.

Eu estava também um pouquinho mais otimista porque, quando deixei o presidente nessa noite, ele também estava esperançoso pela primeira vez de que os nossos esforços poderiam ser bem-sucedidos.

"Isso levaria à guerra."

Na manhã de sábado, 27 de outubro, recebi um memorando de J. Edgar Hoover, diretor do FBI, que me deu uma sensação considerável de inquietação. Ele tinha recebido a informação de que, na noite anterior, certos funcionários soviéticos em Nova York estavam, aparentemente, preparando-se para destruir todos os documentos mais confidenciais com base em que os Estados Unidos provavelmente tomariam medidas militares contra Cuba ou contra os navios soviéticos, e isso levaria à guerra. A caminho da Casa Branca, eu me perguntava: se os soviéticos estavam ansiosos por encontrar uma resposta para a crise, o que explica essa conduta da parte desses funcionários deles? A carta de Khrushchev indicava mesmo que poderíamos encontrar uma solução?

Foi, então, com certa sensação de agouro que fui à reunião do nosso ExComm. Minha preocupação foi justificada. Chegou uma carta nova, dessa vez muito formal, de Khrushchev para o presidente Kennedy. Obviamente, não era mais o Sr. Khrushchev quem escrevia, mas o Escritório de Relações Exteriores do Kremlin. A carta era bem diferente da carta recebida doze horas antes. "Nós retiraremos nossos mísseis de Cuba, vocês retirarão os seus da Turquia... A União Soviética prestará juramento de não invadir ou interferir com os assuntos internos da Turquia; os Estados Unidos prestarão o mesmo juramento com relação a Cuba".

Apenas para somar à sensação de agouro e pessimismo, o secretário McNamara relatou aumento nas evidências de que os russos em Cuba estavam trabalhando, agora, dia e noite, intensificando seus esforços em todas as bases de mísseis e nos IL-28. Foi então que começaram as 24 horas mais difíceis da crise dos mísseis.

Fato era que a proposta feita pelos russos não era irracional e não representava uma perda para os Estados Unidos e para os nossos aliados da Otan. Em diversas ocasiões ao longo do período dos dezoito meses anteriores, o presidente havia pedido ao Departamento de Estado para chegar a um acordo com a Turquia para a retirada de mísseis Júpiter que estavam nesse país. Eram obviamente obsoletos, e nossos submarinos Polaris no Mediterrâneo dariam à Turquia proteção muito maior.

Sob insistência do presidente, o secretário Rusk havia levantado essa questão com os representantes da Turquia logo após uma reunião da Otan, na primavera de 1962. Os turcos foram contra, e deixou-se que a questão fosse posta de lado. No verão de 1962, quando Rusk estava na Europa, o presidente Kennedy levantou a questão mais uma vez. Ele tinha ouvido do Departamento de Estado que eles achavam melhor não ficar pressionando esse assunto com a Turquia. Mas o presidente discordava. Ele queria que os mísseis fossem removidos mesmo que isso causasse problemas políticos para o nosso governo. Os representantes do Departamento de Estado discutiram o tema mais uma vez com os turcos e, visto que estes ainda objetavam, não prosseguiram com a questão.

O presidente achava que, por ser o presidente, tendo deixado claros os seus desejos, eles seriam obedecidos e os mísseis seriam removidos. Por isso, ele não pensou mais nesse assunto. Agora ele descobria que o fracasso em dar continuidade a essa questão permitira que esses mesmos mísseis obsoletos da Turquia se tornassem reféns da União Soviética.

Ele ficou irritado. Claro que ele não queria ordenar a retirada dos mísseis da Turquia sob ameaça da União Soviética. Por outro lado, também não queria envolver os EUA e a humanidade em uma guerra catastrófica por causa de bases de mísseis na Turquia que eram antiquadas e inúteis. Ele apontou ao Departamento de Estado e a outros que, para pessoas racionais, uma troca desse tipo poderia parecer uma sugestão bastante razoável, que a nossa posição tinha ficado extremamente vulnerável e que tudo isso era culpa nossa.

A mudança no linguajar e no teor das cartas de Khrushchev indicava confusão dentro da União Soviética; mas havia confusão entre nós também. Nesse momento, sem saber exatamente o que sugerir, alguns recomendaram escrever para Khrushchev e pedir-lhe que esclarecesse essas duas cartas. Não havia um plano de ação muito definido. Entretanto, nós sabíamos que, enquanto estávamos ali sem fazer nada, o trabalho prosseguia nas bases de mísseis de Cuba, e agora nós tínhamos a consideração adicional de que, se destruíssemos essas bases e começássemos uma invasão, a porta ficava claramente aberta para que a União Soviética tomasse medida recíproca contra a Turquia.

Os países da Otan estavam apoiando a nossa posição e recomendando que os EUA fossem firmes; porém, dizia o presidente Kennedy, eles não conheciam todas as implicações para eles. Se conduzíssemos um ataque aéreo contra Cuba e a União Soviética respondesse atacando a Turquia, toda a Otan seria envolvida. Então, imediatamente, o presidente teria de decidir se usaria armas nucleares contra a União Soviética, e toda a raça humana seria ameaçada.

O Estado-Maior Conjunto participou da reunião e recomendou uma solução. Ela tinha o atrativo de ser um passo muito simples – um ataque aéreo na segunda-feira, logo seguido por uma invasão. Eles apontaram ao presidente que sempre acharam que o bloqueio era um plano de ação fraco demais e que os passos militares eram os únicos que a União Soviética entenderia. Eles não ficaram nem um pouco surpresos de que nada tinha sido alcançado com força limitada, pois isso era exatamente o que tinham previsto.

Em meio a essas deliberações, chegou mais uma mensagem, para mudar todo o curso dos eventos e alterar a história. O major Rudolf Anderson Jr., da Carolina do Sul, um dos pilotos da Força Aérea que tinha conduzido aquele primeiro voo de reconhecimento no U-2 que descobrira a presença de mísseis em Cuba, desde então fizera diversas outras missões de reconhecimento e estava voando naquela manhã de domingo, 27 de outubro. Nossa reunião foi interrompida pelo relato de que o avião dele tinha sido atingido por míssil superfície-ar, caíra em Cuba e ele tinha morrido.

Robert F. Kennedy

Houve simpatia pelo major Anderson e a família dele. Havia o dado de que tínhamos de tomar atitude militar para proteger os nossos pilotos. Havia a noção de que a União Soviética e Cuba aparentemente estavam se preparando para guerrear. E havia a sensação de que a corda ficava cada vez mais apertada no pescoço de todos nós, nos norte-americanos, na humanidade, e que as pontes para fugir estavam ruindo.

– Como podemos enviar mais pilotos de U-2 para essa área amanhã se não derrubarmos todas essas bases de mísseis? – perguntou o presidente. – Estamos agora em um jogo completamente diferente.

Inicialmente, houve o acordo quase unânime de que tínhamos que atacar bem cedo, na manhã seguinte, com bombardeiros e caças e destruir as bases de mísseis SAM. Mas novamente o presidente refreou todo mundo.

– Não é o primeiro passo que me preocupa – disse ele –, mas que os dois lados se agravem para o quarto ou o quinto passo... e não vamos até o sexto, porque não tem ninguém por perto para fazer isso. Devemos nos lembrar de que estamos embarcando em uma estrada muito perigosa.

Ele pediu verificação absoluta de que o U-2 tinha sido derrubado e não caído por acidente, e uma revisão cuidadosa, "antes de decidir finalmente o que devemos fazer", das implicações de todos os possíveis planos de ação. Sua mente já estava em outras áreas do mundo. O que ia ocorrer em Berlim, na Turquia? Se atacássemos Cuba, e os russos devolvessem com um ataque na Turquia, os mísseis da Turquia seriam ou deveriam ser disparados? Ele ordenou que fossem feitos preparativos para desarmar mísseis com ogivas atômicas, para que ele tivesse que dar permissão pessoalmente antes que eles fossem usados. Qual papel deveriam ter a Turquia e o restante da Otan na determinação da nossa resposta? Dentro de pouquíssimo tempo, eles poderiam se deparar com decisões de vida ou morte. Antes que isso acontecesse, eles não tinham direito de saber, se não de participar, do que estávamos resolvendo fazer, principalmente se isso fosse muito provavelmente afetá-los de modo tão rápido e devastador?

Muitas vezes ele enfatizou que devíamos entender as implicações de cada passo. Qual resposta poderíamos antecipar? Quais seriam as implicações para nós? Ele enfatizou mais uma vez a nossa responsabilidade de considerar o efeito que as nossas ações teriam em outros. A Otan estava apoiando os EUA, mas esses países estavam real e completamente cientes dos perigos que corriam? Essas decisões para agora, necessariamente tomadas com tamanha rapidez, podiam ser tomadas apenas pelo presidente dos Estados Unidos, mas qualquer um deles podia fechar e trancar as portas para pessoas e governos em muitos outros territórios. Nós tínhamos de ter ciência dessa responsabilidade o tempo todo, disse ele, cientes de que estávamos decidindo, o presidente estava decidindo, para os EUA, a União Soviética, a Turquia, a Otan e toda a humanidade...

"Aquelas horas na Sala do Gabinete..."

Aquelas horas na Sala do Gabinete, na tarde de sábado em outubro, jamais poderiam ser apagadas da mente de nenhum de nós. Vimos, como nunca antes, o significado e a responsabilidade envolvidos no poder dos Estados Unidos, o poder do presidente, a responsabilidade que tínhamos para com pessoas em todo o mundo que nunca nem tinham ouvido falar de nós, que nunca tinham ouvido falar do nosso país ou dos homens que estavam sentados naquela sala determinando o destino delas, tomando uma decisão que poderia influenciar se elas iam viver ou não.

– Não vamos atacar amanhã – disse o presidente. – Vamos tentar de novo.

O Departamento de Estado enviou o esboço de uma carta de resposta do presidente Kennedy para Khrushchev. Ela respondia aos argumentos feitos na última carta do líder soviético, sustentando que nós não podíamos remover os mísseis da Turquia e que não havia como fazer um trato.

Eu discordei do conteúdo e do teor da carta. Sugeri, e fui apoiado por Ted Sorensen e outros, que ignorássemos a última carta de Khrushchev e respondêssemos à proposta anterior, conforme tinha sido aprimorada na oferta feita a John Scali, de que os mísseis soviéticos e armas ofensivas fossem removidos de Cuba sob inspeção e verificação das Nações Unidas caso, do seu lado, os Estados Unidos concordassem, junto do restante do Hemisfério Ocidental, em não invadir Cuba.

Houve argumentos contra e a favor. Houve desacordos intensos. Todos estavam tensos; alguns já beiravam a exaustão; todos eram pressionados pela inquietude e preocupação. O presidente Kennedy era, de longe, o mais calmo. Finalmente, quando parecíamos quase incapazes de nos comunicar, ele sugeriu, com uma nota de exasperação, que – embora eu tivesse tanta certeza de que os vários esforços do Departamento de Estado para responder não tinham sido satisfatórios – Ted Sorensen e eu deveríamos sair da reunião e entrar na sala dele para compor uma resposta alternativa, para que ele pudesse escolher uma das duas. Nós dois saímos e, sentados na sala do presidente, escrevemos um esboço. Quarenta e cinco minutos depois, levamos a carta para ele e todo o grupo. Ele trabalhou no texto, refinou, mandou datilografar e assinou.

A carta aceitava a "oferta" de Khrushchev:

"Caro Sr. Khrushchev,

Eu li sua carta de 26 de outubro com muita atenção e acolhi a afirmação do seu desejo de buscar uma solução imediata para o problema. A primeira coisa a ser feita, no entanto, é que o trabalho cesse nas bases de mísseis ofensivos em Cuba e que todos os sistemas de armas de Cuba capazes de uso ofensivo sejam feitos inoperáveis, sob efeito de arranjos das Nações Unidas.

Supondo que isso seja feito o quanto antes, eu dei a meus representantes em Nova York instruções que lhes permitirão trabalhar no próximo fim de semana – em cooperação com o secretário-geral em exercício e o seu representante – um acordo para uma solução permanente para o problema de Cuba junto das linhas sugeridas na sua carta de 26 de outubro. Conforme li na sua carta, os elementos principais das suas propostas – que me parecem, no geral, aceitáveis, como os compreendo – são os seguintes:

1. O senhor concordaria em remover esses sistemas de armas de Cuba sob observação e supervisão adequadas das Nações Unidas; e procuraria, com garantias adequadas, evitar futura introdução desse tipo de sistemas de armamento em Cuba.
2. Da nossa parte, nós concordaríamos – sob o estabelecimento de arranjos adequados, por meio das Nações Unidas, para garantir a condução e a continuação desses compromissos – a) com a remoção imediata das medidas de quarentena que estão agora em efeito, e b) dar garantias de que não haverá a invasão de Cuba. Eu acredito que outras nações do Hemisfério Ocidental estariam prontas para fazer o mesmo.

Se o senhor passar instruções similares ao seu representante, não há motivo pelo qual não poderíamos completar esses arranjos e anunciá-los ao mundo dentro de alguns dias. O efeito desse acordo em tranquilizar a tensão mundial nos permitiria trabalhar em direção a um acordo mais geral com relação a 'outros armamentos', como foi proposto na sua segunda carta, que o senhor tornou pública. Eu gostaria de dizer mais uma vez que os Estados Unidos estão muito interessados em reduzir tensões e parar a corrida armamentista; e se a sua carta diz que o senhor está preparado para discutir uma *détente* que afete a Otan e o Pacto de Varsóvia, nós estamos preparados para considerar, junto aos nossos aliados, quaisquer propostas úteis.

Mas o primeiro ingrediente, deixe-me enfatizar, é o cessar de trabalhos nas bases de mísseis em Cuba e as medidas para tornar inoperáveis essas armas, sob garantias internacionais efetivas. A continuação dessa ameaça, ou o prolongamento dessa discussão acerca de Cuba ligando esses problemas às questões mais amplas da segurança europeia e mundial, certamente levaria a uma intensificação da crise de Cuba e a um grave risco à paz mundial. Por esse motivo, espero que possamos concordar rapidamente acerca das linhas dispostas nesta carta e na sua carta de 26 de outubro.

—John F. Kennedy"

"O presidente ordenou ao ExComm..."

O presidente ordenou ao ExComm que se reunisse de novo às nove da noite na Casa Branca. Enquanto datilografavam a carta e a preparavam para a transmissão, eu e ele nos sentamos na sala dele. Ele falou sobre o major Anderson e como é sempre o corajoso e o melhor que morrem. Os políticos e os oficiais ficam sentados em casa, pontuando sobre grandes princípios e questões, tomam as decisões e jantam com a esposa e a família, enquanto o corajoso e o jovem morrem. Ele falou sobre os erros de cálculos que levam à guerra. A guerra raramente é intencional. Os russos não desejam lutar tanto quanto nós. Não querem guerrear conosco, e nós não queremos com eles. E, no entanto, se os eventos continuassem como estavam nos últimos dias, a batalha – que ninguém desejava, que não resultaria em nada – engolfaria e destruiria toda a humanidade.

Ele queria ter certeza de que tinha feito tudo em seu poder, tudo que era concebível, para impedir uma catástrofe dessas. Toda oportunidade deveria ser concedida aos russos para que chegassem a um acordo pacífico que não diminuísse a sua segurança nacional nem fosse uma humilhação pública. Não era somente com os norte-americanos que ele se preocupava, ou principalmente a geração mais idosa de qualquer território. O pensamento que mais o perturbava, e que tornava a perspectiva de guerra muito mais assustadora do que poderia ter sido, era o espectro da morte das crianças do nosso país e de todo o mundo – pessoas jovens que não tinham participação, não tinham nada a dizer, que nem sabiam nada sobre o confronto, mas cuja vida seria aniquilada como a de todos os demais. Eles nunca teriam a chance de tomar uma decisão, de votar em uma eleição, de liderar uma revolução, de determinar o próprio destino.

Nossa geração teve. Mas a grande tragédia era que, se nós errássemos, errávamos não somente para nós mesmos, nosso futuro, nossas esperanças, nosso país, mas para a vida, para o futuro, as esperanças e os países daqueles a quem nunca tinha sido dada oportunidade de participar, de votar sim ou não, de se fazer sentir.

Era isso que mais o preocupava, que lhe causava tanto pesar. E foi então que ele e o secretário Rusk decidiram que eu deveria visitar o embaixador Dobrynin e transmitir pessoalmente a grande preocupação do presidente.

Liguei para o embaixador Dobrynin por volta das 19h15 e pedi que viesse ao Departamento de Justiça. Encontramo-nos na minha sala às 19h45. Eu lhe disse primeiro que nós sabíamos que o trabalho prosseguia nas bases de mísseis em Cuba e que, nos últimos dias, tinha sido acelerado. Eu disse que nas últimas horas nós tínhamos descoberto que nossos aviões de reconhecimento que sobrevoavam Cuba tinham sido alvejados e que um dos nossos U-2 fora derrubado, e o piloto, morto. Para nós, isso tinha sido a mais séria guinada nos eventos.

O presidente Kennedy não queria que ocorresse um conflito militar. Ele tinha feito todo o possível para evitar um confronto militar com Cuba e com a União Soviética, mas agora eles estavam forçando a barra. Por causa da enganação da União Soviética, nossos aviões de reconhecimento fotográfico teriam de continuar a sobrevoar Cuba, e se os cubanos ou os soviéticos atirassem nesses aviões, nós teríamos que devolver o ataque. Isso levaria inevitavelmente a futuros incidentes e ao agravamento do conflito, cujas implicações eram graves demais.

Ele disse que os cubanos ficaram ressentidos com o fato de que estávamos violando o espaço aéreo deles. Eu respondi que, se não tivéssemos violado o espaço aéreo cubano, ainda acreditaríamos no que Khrushchev dissera – que não haveria mísseis colocados em Cuba. Em todo caso, eu disse, essa questão era muito mais séria do que o espaço aéreo de Cuba – envolvia os povos dos nossos países e, na verdade, a população do mundo inteiro.

A União Soviética estabelecera, em segredo, bases de mísseis em Cuba enquanto, ao mesmo tempo, proclamava em particular e publicamente que isso jamais seria feito. Nós precisávamos combinar até o dia seguinte que essas bases seriam removidas. Eu não estava dando um ultimato, mas apenas constatava um fato. Ele precisava entender que, se eles não removessem essas bases, nós as removeríamos. O presidente Kennedy tinha grande respeito pelo país do embaixador e pela coragem do seu povo. Talvez o país achasse necessário tomar uma atitude em retaliação; porém, antes que tudo isso terminasse, não haveria apenas norte-americanos mortos, mas russos também.

Ele me perguntou qual oferta os Estados Unidos estavam fazendo, e eu lhe contei da carta que o presidente Kennedy tinha acabado de transmitir a Khrushchev. Ele levantou a questão de nós removermos os mísseis da Turquia. Eu disse que não poderia haver *quid pro quo* nem qualquer arranjo feito sob esse tipo de ameaça ou pressão, e que, em última análise, essa era uma decisão que deveria ser tomada pela Otan. No entanto, eu disse, o presidente Kennedy estava ansioso para retirar esses mísseis da Turquia e da Itália fazia muito tempo. Ele tinha ordenado a retirada algum tempo antes, e era nossa opinião que, dentro de pouco tempo depois de terminada a crise, esses mísseis não estariam mais ali.

Eu disse que o presidente Kennedy queria estabelecer relações pacíficas entre os nossos países. Ele queria resolver os problemas que nos confrontavam na Europa e no sudeste da Ásia. Ele queria seguir adiante no controle das armas nucleares. Contudo, nós poderíamos fazer progresso nessas questões apenas quando tivéssemos deixado a crise para trás. O tempo estava acabando. Tínhamos apenas mais algumas horas – precisávamos imediatamente de uma resposta da União Soviética. Eu disse que precisávamos receber uma até o dia seguinte.

Retornei à Casa Branca. O presidente não estava nada otimista, e eu também não. Ele ordenou que 24 esquadrões de transporte de tropas da Reserva da Força Aérea entrassem em ação. Eles seriam necessários para uma invasão. O presidente não tinha abandonado a esperança, mas a esperança que havia agora residia em Khrushchev rever o curso dentro das próximas poucas horas. Era uma esperança, não uma expectativa. A expectativa era um confronto militar na terça-feira e possivelmente no dia seguinte...

Eu tinha prometido às minhas filhas, fazia muito tempo, que as levaria a um espetáculo de hipismo, e bem cedo, no domingo de manhã, fui ao Arsenal de Washington ver os cavalos saltarem. Em todo caso, não havia nada a fazer exceto esperar. Por volta das dez da manhã, recebi uma ligação no local. Era o secretário Rusk. Ele disse que tinha acabado de receber notícias dos russos e que eles tinham concordado em retirar os mísseis de Cuba.

Eu fui imediatamente à Casa Branca, e lá recebi uma ligação do embaixador Dobrynin, que disse que gostaria de me visitar. Encontrei-o na minha sala às onze da manhã.

Ele me disse que tinha chegado a mensagem de que Khrushchev tinha concordado em desarmar e retirar os mísseis sob adequada supervisão e inspeção; que tudo funcionaria de modo satisfatório; e que o Sr. Khrushchev desejava tudo de melhor para o presidente e para mim.

Foi uma reunião bem diferente da que tínhamos feito na noite anterior. Eu voltei à Casa Branca e falei com o presidente por um bom tempo. Enquanto eu estava lá, ele fez ligações para os ex-presidentes Truman e Eisenhower. Quando eu saí, ele disse, fazendo referência a Abraham Lincoln:

— Esta noite eu devia ir ao teatro. Se você for, quero ir com você.

Quando fechei a porta, ele estava sentado à escrivaninha escrevendo uma carta para o Sr. Anderson...

"Algumas das coisas que aprendemos..."

Eu sempre pensei, depois, em algumas das coisas que aprendemos com esse confronto. O tempo em que foi possível para o presidente e seus conselheiros trabalhar em segredo, tranquilos, em particular, desenvolvendo um plano de ação e recomendações para o presidente, foi essencial. Se as nossas deliberações tivessem sido publicadas, se tivéssemos que tomar a decisão em 24 horas, eu acredito que o rumo que acabaríamos tomando teria sido bem diferente e cheio de riscos muito mais graves. O fato de que pudemos conversar, debater, argumentar, discordar e depois debater um pouco mais foi essencial na escolha do direcionamento final. Esse tempo nem sempre existe, embora, talvez para a nossa surpresa, na maioria das ocasiões de maior risco ele exista; mas quando existe, tem de ser utilizado.

É necessário mais do que tempo, contudo. Eu acredito que as nossas deliberações provaram conclusivamente quão importante é que o presidente tenha recomendações e opiniões de mais de um indivíduo, de mais de um departamento, de mais de um ponto de vista. As opiniões, até mesmo os fatos, podem ser julgadas melhor em conflito, em debate. Existe um elemento importante que falta quando há unanimidade de ponto de vista. Entretanto, isso não somente pode acontecer; isso frequentemente acontece enquanto as recomendações são dadas ao presidente dos Estados Unidos. O ofício dele cria tamanho respeito e admiração que quase gera um efeito de acovardar as pessoas. Frequentemente eu vi conselheiros adaptarem suas opiniões ao que acreditavam que o presidente Kennedy e, mais tarde, o presidente Johnson desejavam ouvir.

Certa vez participei de uma reunião preliminar com um oficial de gabinete, na qual concordamos em uma recomendação a ser feita ao presidente. Foi meio que uma surpresa para mim quando, alguns minutos depois, na reunião com o próprio presidente, o oficial de gabinete expressou vigorosa e fervorosamente o ponto de vista oposto, que, a partir da discussão, ele compreendeu, acertadamente, que seria recebido com maior simpatia pelo presidente.

Nós tivemos uma unanimidade quase total na época da Baía dos Porcos. Pelo menos, se algum oficial do mais alto ranque do governo se opunha, nenhum deles se expressou. Por isso, eu sugeri que deveria haver um advogado do diabo para dar uma opinião oposta se nenhuma fosse apresentada. Na época da crise dos mísseis de Cuba, obviamente, isso não foi necessário.

É importante, também, que diferentes departamentos do governo sejam representados. Trinta anos atrás, o mundo era um lugar muito, muito diferente. O secretário de Estado e seu departamento eram capazes de lidar com todos os problemas internacionais. Talvez não fossem sempre resolvidos corretamente, mas pelo menos esse tratamento feito por apenas um departamento era manejável. Tínhamos menos compromissos – não nos envolvíamos de forma tão ampla quanto hoje –, mas éramos, não obstante, uma nação muito poderosa. Nós podíamos, e o fazíamos, em locais nos quais achávamos que os nossos interesses nacionais estavam envolvidos (como a América Latina), impor a nossa vontade à força, se acreditássemos que era necessário. O secretário de Estado lidava com todas as responsabilidades sem grande dificuldade, dava conselhos de política exterior ao presidente, administrava o departamento, direcionava as nossas relações com aquele punhado de países que eram considerados significantes e protegia os interesses financeiros dos nossos cidadãos, em todo o mundo.

Mas essa postura tem pouquíssima relação com a do secretário de Estado de hoje. O título é o mesmo; ele ainda lida com questões de relações exteriores; mas aí a similaridade praticamente desaparece. Hoje, a posição do secretário de Estado detém pelo menos cinco trabalhos, cinco áreas diferentes de responsabilidade, e todas poderiam devidamente requerer todo o tempo dele.

O secretário de Estado deve lidar com mais de 120 países, cuidar das questões das Nações Unidas e viajar para inúmeras nações. Deve receber embaixadores, participar de jantares e lidar com protocolos e questões sociais (e para que ninguém pense que isso não tem importância, devemos nos lembrar de que o secretário Rusk perdeu uma reunião importantíssima do presidente Kennedy com o primeiro-ministro Macmillan, em Nassau, por causa de um jantar diplomático do qual achou que deveria participar). O secretário de Estado deve lidar com uma dúzia de crises de diversas significâncias que surgem toda semana por todo o mundo, no Congo, Nigéria, Indonésia, Adém ou outro lugar. Deve lidar com duas crises maiores que parecem sempre estar conosco, como a de Berlim, em 1961, a de Cuba, em 1962, e agora a do Vietnã. Finalmente, ele deve administrar um dos maiores e mais complicados departamentos.

Além do tempo e da energia que são necessários para administrar o trabalho, existe outra grande diferença nas relações exteriores. Trinta anos atrás, somente o Departamento de Estado se envolvia em questões internacionais. Mas isso não é mais assim. Inúmeras outras agências e outros departamentos têm responsabilidades primárias e poder no campo das relações exteriores, incluindo o Pentágono, a CIA, a Agência de Desenvolvimento Internacional, e, num grau menor, a AIEU e outros departamentos independentes e semi-independentes.

Em alguns países ao redor do mundo, a voz mais poderosa é aquela do administrador da Agência de Desenvolvimento Internacional com o embaixador; embora ele represente o Departamento de Estado e seja ostensivamente o principal porta-voz para os Estados Unidos e seu presidente, tem relativamente pouco poder. Em alguns países que visitei, a figura dominante dos EUA era o representante da CIA; em muitos países latino-americanos, era o chefe da nossa missão militar. Em todos esses países, um papel importante era exercido pela AIEU e, em menor grau, pelo Corpo da Paz, o Banco de Exportação-Importação, a comunidade de negócios norte-americana em geral e, em certos países, empresários específicos.

Robert F. Kennedy

Representantes individuais do Pentágono, da CIA e a ADI, pelo menos, devem ser ouvidos pelo presidente dos Estados Unidos, além do Departamento de Estado. Eles têm informações, dados, opiniões e discernimentos que podem ser inestimáveis e podem ser bem diferentes daqueles do Departamento de Estado.

É verdade, também, que por causa da grande responsabilidade do secretário de Estado, ele não tem como se manter informado sobre os detalhes de todas as crises com que seu departamento tem de lidar. Existe, também, o risco de que, conforme as informações são filtradas ao passar por inúmeras mãos até ele ou o presidente, fatos vitais podem ser eliminados ou distorcidos por erro de discernimento. Por isso, é essencial para o presidente ter acesso pessoal àqueles do departamento que têm *expertise* e conhecimento. Dessa maneira, ele pode ter disponíveis informações puras ao maior grau prático possível.

Durante a crise dos mísseis de Cuba, o presidente não somente recebeu informações de todos os departamentos significativos, mas fez o máximo que pôde para garantir que não ficaria isolado de indivíduos ou pontos de vista por causa de ranque ou posição. Ele queria o conselho de seus agentes de gabinete, mas queria também a opinião daqueles que estavam conectados à situação em si. Ele queria ouvir do secretário Rusk, mas queria também ouvir de Tommy Thompson, ex-embaixador (e agora atual) da União Soviética, cujo conselho acerca dos russos e as predições quanto ao que eles fariam foram corretas e cujo conselho e recomendações ninguém superou; de Ed Martin, secretário assistente para a América Latina, que organizou nossos esforços para garantir o apoio dos países latino-americanos; e também de George

Ball, subsecretário de Estado, cujo conselho e discernimento eram inestimáveis. Ele queria ouvir do secretário McNamara, mas queria ouvir também do subsecretário Gilpatric, cuja habilidade, conhecimento e discernimento ele buscou em toda crise séria.

Em outras ocasiões, eu tinha frequentemente observado esforços sendo feitos para excluir certos indivíduos de participar de uma reunião com o presidente por terem pontos de vista diferentes. Era comum o presidente ficar ciente desse fato e aumentar as reuniões para incluir outras opiniões. Nas conferências da crise dos mísseis, ele se certificou de que houvesse *experts* e representantes de diferentes pontos de vista. O presidente Kennedy queria pessoas que levantavam questões, que criticavam, em cujo discernimento ele podia confiar, que apresentavam pontos de vista inteligentes, a despeito de seu ranque ou perspectiva.

Ele queria ver apresentadas e desafiadas todas as possíveis consequências de um plano de ação específico. O primeiro passo poderia parecer sensível, mas qual seria a reação dos nossos adversários, e nós poderíamos de fato vencer? Lembro-me de uma reunião anterior no Laos, em 1961, quando os militares recomendaram em uníssono enviar quantias substanciosas de tropas dos EUA para estabilizar o país. Eles seriam trazidos por dois aeroportos com capacidade limitada. Alguém perguntou o que faríamos se apenas um número limitado pousasse e o comunista Pathet Lao derrubasse os aeroportos e começasse a atacar as nossas tropas, limitadas em número e não equipadas completamente. Os representantes dos militares disseram que teríamos de destruir Hanói e possivelmente usar armas nucleares. O presidente Kennedy não enviou as tropas e concentrou-se em passos diplomáticos para proteger os nossos interesses.

Era para obter uma análise irrestrita e objetiva que ele frequentemente, e em momentos críticos, convidava o secretário do Tesouro Douglas Dillon, por cuja sabedoria ele tinha muito respeito; Kenny O'Donnell, secretário de compromissos; Ted Sorensen; e, às vezes, o ex-secretário de Estado Dean Acheson, o ex-secretário de Defesa Robert Lovett, o ex-alto comissário da Alemanha John McCloy, e outros. Eles faziam as perguntas difíceis; faziam os outros defenderem suas posições; apresentavam um ponto de vista diferente; e eram céticos.

Eu acho que isso era mais necessário na área militar do que em qualquer outra. O presidente Kennedy ficou impressionado com o esforço e a maneira dedicada com que os militares respondiam – a marinha lançando suas embarcações para o Caribe; a Força Aérea entrando em alerta contínuo; o exército e os fuzileiros navais movendo seus soldados e equipamento para a parte sudeste dos EUA; e todos em alerta e prontos para o combate.

Mas ele ficava incomodado, porque os representantes com quem ele se encontrava, com a notável exceção do general Taylor, pareciam dar tão pouca consideração às implicações dos passos que sugeriam. Eles pareciam sempre supor que, se os russos e os cubanos não respondessem, ou que, se respondessem, uma guerra estava no nosso interesse nacional. Um membro do Estado-Maior Conjunto me disse, certa vez, que acreditava em um ataque preventivo contra a União Soviética. Naquela fatídica manhã de domingo, foi sugerido por um alto conselheiro militar que atacássemos na segunda-feira, por via das dúvidas. Outro achava que, de certo modo, nós tínhamos sido traídos.

O presidente Kennedy era sempre perturbado por essa inabilidade de enxergar além da limitada área militar. Quando conversamos sobre isso mais tarde, ele disse que tínhamos de lembrar que eles são treinados para lutar e guerrear – isso era a vida deles. Talvez ficássemos ainda mais preocupados se eles sempre se opusessem a usar armas ou meios militares – pois, se eles não estivessem dispostos a isso, quem estaria? Mas essa experiência apontou para nós toda a importância do direcionamento e do controle civil e a de levantar questionamentos que sondem as recomendações dos militares.

Era por esses motivos, e muitos mais, que o presidente Kennedy considerava o secretário McNamara o funcionário público mais valioso da administração e do governo dele.

Com essa sondagem e examinação – dos militares, do Departamento de Estado, e suas recomendações –, o presidente Kennedy esperava que pelo menos estivesse preparado para as contingências previsíveis e soubesse que – embora nenhum plano de ação seja completamente satisfatório – tinha tomado a decisão certa com base nas melhores informações possíveis. A conduta dele na crise dos mísseis mostrou quão importantes esse tipo de sondagem baseada na dúvida e esse questionamento poderiam ser.

Isso mostrou também quão importante era ser respeitado em todo o mundo, quão vital era ter aliados e amigos. Agora, cinco anos depois, eu percebo um senso de isolacionismo no Congresso e em todo o país, a sensação de que estamos envolvidos demais com outras nações, o ressentimento com o fato de que não temos apoio maior no Vietnã, a impressão de que o nosso programa de ADI é inútil e que as nossas alianças são perigosas. Acho que faz sentido nos lembrar daqueles dias de outubro de 1962.

Nem sempre tivemos o apoio dos países latino-americanos em tudo que fizemos. Frequentemente, a nossa paciência foi testada duramente pela oposição de alguns dos maiores países da América do Sul a medidas que achávamos que eram do nosso interesse comum e que mereciam o apoio deles. Durante a crise dos mísseis de Cuba, no entanto, quando era uma questão da maior importância, quando os Estados Unidos estavam sendo testados duramente, esses países vieram em uníssono nos apoiar, e esse apoio foi essencial.

Foi o voto da Organização dos Estados Americanos que deu base legal para a quarentena. A disposição deles de seguir a liderança dos Estados Unidos foi um golpe pesado e inesperado contra Khrushchev. Ele teve um grande efeito psicológico e prático nos russos e mudou a nossa posição, de um fora da lei agindo em violação da lei internacional para um país atuando de acordo com vinte aliados, protegendo legalmente a posição deles.

De modo similar, o apoio de nossos aliados da Otan – a rápida aceitação pública da nossa posição por Adenauer, Gaulle e Macmillan – foi de grande importância. Eles aceitaram a nossa recitação dos fatos sem questionar e apoiaram publicamente a nossa posição, sem reservas. Se a nossa relação de confiança e respeito mútuo não estivesse presente, se nossos aliados da Otan estivessem em dúvida sobre o que estávamos fazendo e as implicações disso para eles, e se Khrushchev tivesse conseguido dividir os países da Otan ou até mesmo um dos nossos principais aliados, a nossa posição teria sido seriamente debilitada.

Até mesmo na África, o apoio de certo número de países que tinham sido até então considerados antagonistas dos Estados Unidos foi de grande significância. Com uma quarentena naval em torno de Cuba, segundo relatos dos militares, os aviões soviéticos ainda podiam levar ogivas atômicas para Cuba. Para fazer isso, eles teriam de reabastecer na África Ocidental, e os principais países que tinham aeroportos suficientemente grandes e as necessárias instalações de abastecimento eram Guiné e Senegal. O presidente Kennedy enviou nossos dois embaixadores para ver os presidentes desses dois países.

Sekou Touré, de Guiné, tinha sido alvo de muitas críticas nos Estados Unidos por causa de sua amizade com as nações comunistas, mas ele admirava o presidente Kennedy, também. Quando nosso embaixador o visitou, ele aceitou imediatamente como verdade a descrição do presidente Kennedy do que estava acontecendo em Cuba, disse que Guiné não daria assistência a nenhum país que estivesse construindo bases militares em terreno estrangeiro, e anunciou que não seria permitido aos aviões russos reabastecer em Conakry.

Em Dakar, o embaixador Philip M. Kaisser tinha um relacionamento próximo com o presidente Léopold Senghor, que pouco tempo antes fizera uma visita muito bem-sucedida a Washington. Ele também logo percebeu o perigo e concordou em não permitir que os aviões russos pousassem ou reabastecessem em Dakar.

Em suma, nossos amigos, nossos aliados, e, como disse Thomas Jefferson, um respeito pelas opiniões da humanidade, tudo isso é de importância vital. Não podemos ser uma ilha, nem se quiséssemos; nem podemos nos separar do restante do mundo.

A exasperação acerca das nossas dificuldades no Vietnã não deveria fechar os nossos olhos para o fato de que podemos ter mais crises de mísseis no futuro – de tipos diferentes, sem dúvida, e sob circunstâncias diferentes. Mas se tivermos sucesso então, se vamos preservar a nossa segurança nacional, precisaremos de amigos, precisaremos de apoiadores, precisaremos de países que acreditem em nós e nos respeitem e sigam a nossa liderança.

> "A importância de nos colocar
> no lugar dos outros países."

A lição final da crise dos mísseis de Cuba é a importância de nos colocar no lugar dos outros países. Durante a crise, o presidente Kennedy passou mais tempo tentando determinar o efeito de um plano de ação específico em Khrushchev ou nos russos do que em qualquer outra fase do que estava fazendo. O que guiou todas as deliberações dele foi a tentativa de não desonrar Khrushchev, não humilhar a União Soviética, não deixar que eles sentissem que precisavam agravar a resposta deles porque a segurança nacional ou os interesses nacionais o demandavam.

Foi por isso que ele foi tão relutante em parar e revistar um navio russo; foi por isso que ele se opôs tanto a atacar as bases de mísseis. Os russos, pensava ele, teriam de reagir militarmente a ações dessas da nossa parte.

Daí a decisão inicial de impor a quarentena em vez de atacar; nossa decisão de permitir que passasse o *Bucareste*; nossa decisão de abordar primeiro um navio que não fosse russo; todas essas e muitas outras foram tomadas com a intenção de fazer pressão sobre a União Soviética, mas não causar humilhação pública.

Errar o cálculo e entender equivocadamente o agravamento de um lado gera uma contrarresposta. Ação nenhuma é feita contra um poderoso adversário no vácuo. Um governo ou um povo falharão em entender isso apenas para correr grande perigo. Pois é assim que começam as guerras – guerras que ninguém quer, ninguém pretende fazer e ninguém vence.

Cada decisão que o presidente Kennedy tomou tinha isso em mente. Ele sempre se perguntava: temos certeza de que Khrushchev entende o que consideramos como nosso interesse nacional vital? A União Soviética teve tempo suficiente para reagir sobriamente a determinado passo que nós demos? Toda ação era julgada segundo esse padrão – parar um navio específico, enviar aviões de voo baixo, fazer uma declaração pública.

O presidente Kennedy entendia que a União Soviética não queria a guerra, e eles entendiam que nós desejávamos evitar o conflito armado. Por isso, se fosse para haver hostilidades, isso ocorreria porque os nossos interesses nacionais colidiram – algo que, por causa dos interesses limitados deles e nossos objetivos propositalmente limitados, parecia improvável – ou por causa do nosso fracasso ou do fracasso deles em entender os objetivos do outro.

O presidente Kennedy dedicou-se a deixar claro para Khrushchev, em palavra e gesto – pois ambos são importantes – que os EUA tinham objetivos limitados e que nós não tínhamos interesse em alcançar esses objetivos afetando adversamente a segurança nacional da União Soviética ou humilhando-a.

Robert F. Kennedy

Mais tarde, ele diria, em seu discurso na Universidade Americana, em junho de 1963: "Acima de tudo, enquanto defendemos nossos interesses vitais, os poderes nucleares devem evitar esses confrontos que levam o adversário a escolher entre uma derrota humilhante ou uma guerra nuclear".

Nas nossas conversas durante a crise, ele ficava enfatizando o fato de que nós realmente teríamos uma guerra se colocássemos a União Soviética em uma posição que ela acreditava que afetaria adversamente sua segurança nacional ou em tal humilhação pública que ela perderia o respeito do próprio povo e dos países em todo o mundo. Os mísseis em Cuba, nós pensávamos, relacionavam-se de modo crucial à nossa segurança nacional, mas não à da União Soviética.

Esse fato foi, enfim, reconhecido por Khrushchev, e esse reconhecimento, creio eu, trouxe a mudança para algo que, até esse momento, tinha sido uma posição bastante ferrenha. O presidente acreditou, desde o início, que o líder soviético era um homem racional, inteligente, que, se lhe dessem tempo suficiente e lhe mostrassem determinação, acabaria alterando sua posição. Mas havia sempre a chance de um erro, talvez erro de cálculo, ou uma compreensão equivocada, e o presidente Kennedy estava comprometido a fazer todo o possível para diminuir essa chance para o nosso lado.

A possibilidade da destruição da humanidade sempre esteve na mente dele. Alguém dissera um dia que a Terceira Guerra Mundial seria travada com armas atômicas, e a guerra seguinte, com gravetos e pedras.

Como mencionado antes, *The Guns of August* [As armas de agosto], livro de Barbara Tuchman, causara grande impressão no presidente.

– Eu vou seguir um curso que permitirá a qualquer um escrever um livro comparativo sobre este momento, *Os mísseis de outubro* – ele me disse na noite de sábado, 26 de outubro. – Se houver alguém por aí para escrever depois disso, ele entenderá que nós fizemos tudo que podíamos para encontrar paz e tudo que podíamos para dar ao nosso adversário espaço para se mexer. Eu não vou empurrar os russos um centímetro a mais do que o necessário.

Depois que tudo terminou, ele não fez declaração alguma tentando tomar o crédito para si mesmo ou para a administração pelo que ocorreu. Ele instruiu todos os membros do ExComm e do governo a não dar entrevistas, não fazer declarações, nada que reivindicasse algum tipo de vitória. Ele respeitava Khrushchev por determinar adequadamente o que era de interesse para o seu país e o que era de interesse para a humanidade. Se foi um triunfo, foi um triunfo para a próxima geração, e não para esse ou aquele governo, esse ou aquele povo.

NOTA

Era intenção do senador Kennedy acrescentar uma discussão da questão ética básica envolvida: se é que existe, qual circunstância ou justificativa dá a esse governo ou a qualquer governo o direito moral de levar seu povo e possivelmente todas as pessoas à sombra da destruição nuclear? Ele escreveu este livro ao longo do verão e do outono de 1967 com base em seus diários e lembranças, mas nunca teve a oportunidade de reescrevê-lo ou completá-lo.

– Theodore C. Sorensen

Posfácio

por Richard E. Neustadt e Graham T. Allison

A crise dos mísseis de Cuba é importante em três níveis diferentes. Primeiro, a crise representa algo central na nossa época: nós vivemos sob a sombra das armas nucleares. Nossa imaginação foi embotada por metáforas. Porém, não obstante, é verdade que hoje o homem controla o poder de destruir a humanidade. Segundo, essa crise é um microcosmo de problemas da presidência norte-americana moderna. Crises tendem a enfatizar as características básicas de uma instituição. A crise dos mísseis de Cuba faz isso para um monte de dilemas do nosso sistema governamental. Terceiro, esse evento dramatiza uma questão constitucional central da década de 1970: a saber, os respectivos papéis do presidente e do Congresso em guerrear. Durante a crise dos mísseis de Cuba, o presidente decidiu e ordenou sozinho. Duas horas antes da decisão dele ser anunciada ao mundo, os líderes do Congresso foram informados de que os Estados Unidos iam responder aos mísseis soviéticos com uma quarentena naval.

Autoridade presidencial comparável foi exercida mesmo onde não havia ameaça direta de guerra nuclear. Valendo-se do mínimo consentimento do Congresso representado pela Resolução do Golfo de Tonquim, o presidente Johnson empregou as forças terrestres norte-americanas na que se tornou a guerra mais longa da nossa história. Valendo-se dos poderes inerentes do comandante de proteger as tropas norte-americanas, o presidente Nixon ordenou a invasão do Camboja. A Constituição relega ao Congresso a iniciativa de declarar guerra. Mas nesses casos – como em outros da nossa história – o Congresso não teve papel muito proporcional. O resultado é uma grande discussão acerca do equilíbrio constitucional em fazer guerra. A crise dos mísseis oferece certa perspectiva para essa discussão.

O paradoxo nuclear

Em outubro de 1962, o presidente John Kennedy escolheu um curso de ação que, no discernimento dele, gerava uma chance em três de haver uma guerra nuclear.[9] Dadas as possíveis consequências, como ele pôde escolher esse caminho? Robert Kennedy participou da escolha, aprovou e ficou orgulhoso com o desempenho da administração. É um marco tanto para o homem quanto para os tempos que, cinco anos depois, registrando suas lembran-

---

9. De acordo com Theodore Sorensen, "As chances de que os soviéticos iriam direto para a guerra, ele [John Kennedy] disse mais tarde, lhe pareciam 'algo entre uma em três'," (Kennedy [Nova York: Harper & Row 1965], p. 705).

ças da crise, ele se deteve na seguinte questão: "Se é que existe, qual circunstância ou justificativa dá a esse governo ou a qualquer governo o direito moral de levar seu povo e possivelmente todas as pessoas à sombra da destruição nuclear?".

Que os Estados Unidos e a União Soviética poderiam entrar em uma guerra nuclear que efetivamente destruiria as duas sociedades (e boa parte do restante do mundo) é um fato evidente, mas inacreditável, acerca da vida contemporânea. Estamos agora já há 26 anos na era nuclear. Há mais de uma década, a União Soviética é capaz de destruir milhões de norte-americanos. Entretanto, não houve guerra. Hoje, quem acreditaria que ocorreria uma guerra dessas?

Em que a nossa era nuclear difere de períodos anteriores? Alunos de política internacional identificaram três aspectos qualitativamente novos da ameaça e do uso de força em uma era de armas nucleares e mísseis balísticos. Primeiro, a magnitude do poder destrutivo das armas termonucleares é sem paralelo. Previamente, o homem destruía o homem com balas e bombas. Hoje, o poder explosivo de apenas uma bomba termonuclear excede o poder explosivo total de todas as bombas usadas em todas as guerras do passado, incluindo as deste século. Segundo, quão repentina e rapidamente a destruição em massa pode ser infligida é algo que não tem precedentes. Ataques-surpresa não são novidade. Mas hoje nenhum ponto no globo se encontra a mais de minutos de distância da aniquilação causada por um míssil balístico. Terceiro, por causa dos dois primeiros fatores, foi retirado o sentido da "vitória" na guerra. Recentemente, em 1945, a vitória consistia em desarmar o inimigo, e depois disso o vencedor podia determinar o destino do derrotado. Hoje, não é necessário derrotar os exércitos de uma nação antes de dominar seus cidadãos. O uso de armas e soldados para impedir a ocupação de um país não é mais suficiente para garantir que os cidadãos não serão destruídos.

Em termos de pessoas e sociedades, o que essas novas condições significam foi afirmado categoricamente por um dos participantes da crise dos mísseis, Robert McNamara. O secretário de Defesa testificou ao Congresso, em 1964: "Na primeira hora [da guerra nuclear declarada], cem milhões de norte-americanos e cem milhões de russos seriam mortos".

Esses fatos físicos, duros, são difíceis de aceitar. Mas ainda menos aceitável, dadas essas condições, é que essas nações poderiam *escolher* a guerra. Os Estados Unidos e a União Soviética vivem agora em um mundo de "superioridade mútua", ou seja, capacidade mútua de causar danos inaceitáveis um ao outro (mesmo depois de terem sido atacados primeiro). Sob tais condições, poderia a União Soviética ou os Estados Unidos iniciarem uma guerra nuclear, matar milhões dos oponentes e sofrer, em retaliação, a destruição de milhões dos próprios cidadãos? Como escreveu Thomas Schelling: "Não há rota previsível pela qual os Estados Unidos e a União Soviética se envolveriam em uma grande guerra nuclear". Visto que escolher a guerra nuclear seria, em efeito, escolher o homicídio mútuo, o presidente Dwight D. Eisenhower concluiu: "A guerra é impossível... não há alternativa para a paz".

Muitos observadores encontram, na crise dos mísseis de Cuba, confirmação para sua crença de que a guerra nuclear é impossível. A crise não estourou. Os líderes que passaram por essa crise sentiram na pele como seria olhar para baixo na beira do precipício. Desde essa época, os dois governos exerceram cautela extraordinária com relação a tudo que é nuclear, burlando interesses no intuito de evitar colisões fundamentais, acalmando conflitos que poderiam eclodir e desencorajando programas nucleares de outras nações. Hoje, uma guerra nuclear entre os Estados Unidos e a União Soviética é muito improvável.

Mas nenhum evento demonstra mais claramente do que a crise dos mísseis de Cuba que, com respeito à guerra nuclear, existe um abismo enorme entre a *improbabilidade* e a *impossibilidade*. Embora muitos relatos da crise atenuem os riscos (refletindo a inabilidade difundida de crer que uma guerra nuclear poderia ocorrer), as memórias de Robert Kennedy documentam quão perto os Estados Unidos e a União Soviética chegaram de fazer o impossível acontecer.

Como poderia ter emergido uma guerra nuclear dessa crise? Um número alarmante de caminhos plausíveis brota do curso principal dos eventos e termina na guerra nuclear. No intuito de ajudar o leitor, vamos resumir o que aconteceu em uma espécie de cenário e descrever um dos caminhos que poderiam ter levado à guerra. Os eventos reais são representados por oito passos.

1. A União Soviética coloca mísseis em Cuba clandestinamente (6 de setembro de 1962).
2. O voo de um U-2 norte-americano descobre os mísseis soviéticos (14 de outubro de 1962).
3. O presidente Kennedy inicia um confronto público anunciando ao mundo a atitude dos soviéticos, exigindo que eles retirassem os mísseis, ordenando uma quaren-

tena norte-americana para o envio de armamento soviético para Cuba, colocando as forças estratégicas dos EUA em alerta total, e avisando à União Soviética que qualquer míssil lançado de Cuba seria considerado um míssil soviético e levaria resposta retaliatória total (22 de outubro).

4. Khrushchev ordena que as forças estratégicas soviéticas entrem em alerta total e ameaça afundar navios dos EUA se eles interferirem nos navios soviéticos a caminho de Cuba (24 de outubro).

5. Navios soviéticos param bem em cima da linha de quarentena dos EUA (25 de outubro).

6. A carta de Khrushchev oferece a retirada dos mísseis soviéticos em troca de um juramento dos EUA de não invadir (26 de outubro), seguido por uma segunda carta de Khrushchev que requisita que os EUA retirem os mísseis da Turquia para que a União Soviética retire os mísseis de Cuba (27 de outubro).

7. Os EUA respondem afirmativamente à primeira carta de Khrushchev, mas avisam que se os mísseis não forem retirados até domingo, 28 de outubro, haveria invasão ou ataque aéreo na segunda ou na terça-feira (27 de outubro).

8. Khrushchev anuncia a retirada dos mísseis (28 de outubro).

Talvez o cenário mais óbvio pelo qual uma guerra nuclear teria emergido da sequência segue o curso real dos eventos até o passo sete, mas então segue da seguinte maneira:

- (8) Khrushchev reitera que qualquer ataque contra mísseis e pessoal soviéticos em Cuba resultará em uma resposta retaliatória total da União Soviética (28 de outubro).
- (9) Ataque aéreo "cirúrgico" dos EUA contra mísseis soviéticos (destruindo todas os mísseis balísticos operacionais e matando um número limitado de pessoal soviético) (30 de outubro).
- (10) Mísseis balísticos de alcance médio soviéticos atacam os mísseis dos EUA na Turquia (destruindo todos os mísseis balísticos e matando um pequeno número de norte-americanos) (31 de outubro).
- (11) De acordo com obrigações sobre tratado da Otan, mísseis de alcance médio dos EUA na Europa atacam bases na União Soviética das quais os mísseis que atacaram a Turquia são lançados (31 de outubro).
- (12) A União Soviética, temendo mais ataques dos EUA em seus limitados mísseis balísticos intercontinentais, ataca os EUA (1º de novembro).
- (13) MBIC dos EUA atacam a União Soviética (1º de novembro).

Cenários alternativos que levariam a uma guerra nuclear poderiam começar com o disparo de mísseis soviéticos em Cuba ou com um navio afundado. Ademais, um grande número de "acidentes" poderia ter dado o gatilho em uma guerra nuclear; por exemplo, os soviéticos que derrubaram uma aeronave U-2 no sábado, 27 de outubro, quase causaram um ataque norte-americano contra os mísseis superfície-ar soviéticos. Robert Kennedy identifica pelo menos cinco outros incidentes que poderiam ter servido como estopim nuclear.

Dados os muitos becos sem saída nucleares possíveis que brotam do caminho do confronto, por que o presidente Kennedy entrou nesse caminho? A negligência soviética precisava ser equiparada? Kennedy não poderia ter aceitado os mísseis deles em Cuba e anunciado ao mundo que a roleta russa era um jogo que eles não iam jogar? Quais consequências da jogada soviética poderiam justificar a escolha dele, em vez de contramedidas que corriam risco tão alto de gerar um holocausto?

A mente procura respostas fáceis. Talvez o presidente não tivesse alternativa. Há mais do que humor na resposta de Robert Kennedy para o irmão quando, a meio caminho da fase de confronto, John Kennedy perguntou-se como aquilo tudo tinha começado: "Se você não tivesse agido, você teria levado um *impeachment*". Sem dúvida, o presidente sentia-se desafiado pessoalmente. Mas nenhuma dessas considerações sugere por que ele achou que essa escolha era tolerável, racional, justificável.

As respostas para essa pergunta vão direto ao coração do que nós chamamos de paradoxo nuclear: *em um mundo de superioridade mútua, nenhuma nação pode vencer uma guerra nuclear, mas cada uma deve estar disposta a correr o risco de perder.* Considere cada cláusula do paradoxo. Primeiro, se ocorrer a guerra, as duas nações perdem. Não existe valor pelo qual um líder racional escolheria a morte de milhões de cidadãos do seu país. Nesse sentido, as condições fazem de um presidente Kennedy e de um líder Khrushchev parceiros em um jogo de impedir o desastre mútuo. Mas essa é a condição das duas nações, e os líderes das duas nações sabem disso. Portanto, se uma nação não está disposta a arriscar travar (perder) uma guerra nuclear, a oponente pode ganhar qualquer objetivo ameaçando levar a disputa para esse nível de risco. No intuito de poder preservar certos valores, os líderes devem estar dispostos a não escolher a destruição, mas, não obstante, a escolher o risco da destruição.

Seria possível argumentar que, apesar do risco inerente no plano de ação que o presidente Kennedy escolheu, qualquer outro teria gerado risco maior. Se em vez de desafiar Khrushchev e requisitar a retirada dos mísseis ele simplesmente tivesse aceitado a jogada de Khrushchev e minimizado a importância dele, quais teriam sido as consequências? Primeiro, as "regras do *status quo* precário" a que o presidente de referiu durante a crise teriam sido seriamente prejudicadas. Do lado de fora da sala de conferência do ExComm no Departamento de Estado havia uma placa que dizia: "Na era nuclear, as superpotências fazem guerra como os porcos-espinhos fazem amor – com cuidado". Kennedy tentara estabelecer regras que impediriam que as duas nações calculassem mal os interesses vitais da outra e acabassem, por causa desse erro, em um confronto da qual nenhuma recuaria. Se a infração mais séria de Khrushchev a essas regras fosse desconsiderada, as regras perderiam a validade. Segundo, a ação soviética constituiu a mais evidente quebra de confiança entre Khrushchev e Kennedy. O presidente norte-americano tinha anunciado, nos termos mais firmes possíveis, que os Estados Unidos não tolerariam armas ofensivas soviéticas em Cuba. Khrushchev tinha garantido a Kennedy que a União Soviética não colocaria mísseis em Cuba. Após essas promessas – tanto públicas quanto privadas –, Khrushchev fez o que tinha jurado que não faria. Se Khrushchev pudesse errar desse jeito a avaliação da intenção e do ardor do presidente, que linha o presidente poderia estabelecer que Khrushchev respeitaria? Terceiro, esse gesto dos soviéticos de colocar mísseis em Cuba parecia atado ao plano de ação deles em Berlim. Se os Estados Unidos simplesmente aceitassem a atividade soviética em Cuba, talvez não fossem capazes de convencer a União Soviética de que estavam dispostos a correr o risco de uma guerra nuclear para preservar Berlim. Finalmente, o fato de que os líderes soviéticos deram um passo tão descuidado sugeria que eles não entendiam quão perigosas e precárias eram as relações entre as superpotências nucleares. Enquanto isso não estivesse enraizado na mente dele, talvez eles continuassem a dar passos que geravam riscos significantes de eclosão de uma guerra nuclear, na expectativa de que os Estados Unidos cederiam em vez de aceitar esses riscos. Embora fosse perigoso, Cuba provavelmente seria mais manejável que Berlim, ou a crise após Berlim. Em nenhum lugar fora dos Estados Unidos continentais nós tínhamos tanta vantagem em forças convencionais.

Assim, o presidente Kennedy deve ter justificado sua iniciativa como a mais branda das alternativas arriscadas. Para a questão que começara a preocupar Robert Kennedy – qual direito ou justificativa existe para colocar as pessoas sob um risco desses? –, ele poderia ter respondido: eu não coloquei as pessoas sob um risco desses; essa é simplesmente a nossa condição atual. Mas a pergunta de Robert Kennedy parece querer saber qual justificativa pode existir para que se tolere essa condição. O que parece imoral e, de fato, irracional e intolerável é que a tecnologia força os seres humanos falhos a fazer escolhas de vida ou morte por centenas de milhões de outros seres humanos. Algum homem racional escolheria viver em um mundo desses? O paradoxo nuclear não pode ser negado. Mas ele pode ser aceito?

Um jeito de evitar a cutucada da pergunta de Robert Kennedy jaz em querer que os riscos não existam, descontá-los negando-os ou fechando os olhos para eles. Os autores deste posfácio ouviram muitos oficiais do governo depois da crise de Cuba. Alguns homens próximos do ExComm, mas que não fazem parte dele – em geral, oficiais do exército que aconselham em cargos inferiores –, argumentaram com ardor que, no instante em que o presidente Kennedy foi ao ar para tornar pública a preocupação dos EUA e sua reação, não havia risco substancial de uma guerra nuclear. Diante da nossa óbvia superioridade, tanto estratégica quanto tática, os russos, sendo racionais, estavam fadados a recuar. O que dizer, então, da percepção de Kennedy, intensamente atestada por seu irmão, de que o risco de um holocausto era real? Esses oficiais acreditam que não passava de "comoção na Casa Branca". Outros homens, incluindo alguns que se sentaram em torno da mesa, agora procuram convencer-se de que "ser rude dá resultado". Se havia um risco, ele durou somente até que nossos destroieres, tropas e aeronaves foram enviados ao Atlântico e à Flórida. Então, enquanto estávamos firmes, Khrushchev não teve alternativa senão dar a volta com seus navios e parar a construção de bases de mísseis.

Essas "lições" oferecem conforto, mas partilham uma falha. Ela está na suposição de que os governantes soviéticos foram, em algum momento, frios e calculistas, raciocínio esse baseado em todas as evidências que temos a *nosso* dispor, e administradores confiantes, que orquestram cada ato de suas burocracias. Como Robert Kennedy nos informou, essa é uma suposição à qual o presidente resistia. A resistência dele corresponde à "comoção" na Casa Branca.

O que Kennedy parecia acreditar era que Khrushchev devia ser um governante muito parecido com ele, assolado por incertezas ao procurar evidência e avaliá-la, provável de julgar errado o significado desta no contexto de outro país, suscetível às imperfeições humanas da emoção e do cansaço, assolado também pelas imperfeições burocráticas de comunicação e controle. A longa mensagem de Khrushchev da noite de sexta-feira, 26 de outubro, parece ter reforçado intensamente esse ponto de vista do presidente, aumentando a preocupação da Casa Branca quanto a uma terceira semana de crise. Se os russos tivessem mantido seu plano de ação por mais 72 horas, nós teríamos de escalar um degrau, provavelmente bombardeando bases cubanas. Logicamente, eles então bombardeariam bases turcas. Depois nós; depois eles. Esse terceiro passo era, evidentemente, o que assombrava Kennedy. Se a capacidade de calcular e controlar de Khrushchev fosse meio parecida com a dele, então a capacidade de nenhum dos dois bastaria para guiá-los ao longo desse terceiro passo sem um holocausto.

Novos pesos e contrapesos

No guerrear, a Constituição contemplava colaboração forçada entre o presidente e seus colegas políticos no Capitólio. Na prática, como ilustra a crise dos mísseis, não é garantido um papel forte ao Congresso, de modo algum. Isso não significa, no entanto, que o presidente age isoladamente. Qualquer presidente moderno ocupa o centro de um círculo atencioso e não pode evitar consultar os membros desse círculo. Hoje, de fato, ele depende mais de oficiais do Executivo para conselhos e também para a execução do que quem fez a Constituição pôde antecipar dois séculos atrás.

Novos pesos e contrapesos substituem os antigos. Existe, no entanto, uma diferença extraordinária: o círculo antigo era supostamente composto de homens que deviam seus cargos à eleição, que tinham vivenciado os riscos de candidatar-se e eleger--se. A responsabilidade política conferia a cada um, em primeira mão, a legitimidade enquanto representante do povo. De fato, o elemento democrático da nossa Constituição consistia principalmente em reservar para esses homens as maiores decisões quanto ao uso da força. Ao contrário, o novo círculo é apontado ou cooptado: congressistas podem entrar, mas também podem cidadãos quando seus serviços, enquanto suplentes, são requisitados pelo presidente. Mas em geral, e continuamente, aqueles a quem se garante a entrada são os apontados pelo presidente: chefes de departamento, chefes de equipe, funcionários da Casa Branca e outros cuja posição institucional ou cujas relações pessoais fazem da presença deles algo muito necessário para ele. Como isso sugere, eles não são nem um pouco apenas "meros" suplentes. Ele não tem mais liberdade do que teria com o Congresso de ignorá--los. Mas eles não são, também, colegas no sentido de partilhar da legitimidade e da responsabilidade dele. Atualmente, essas duas cabem apenas a ele.

Pense novamente no grupo que fez escolhas fundamentais para os Estados Unidos durante a crise dos mísseis. Quem eram os membros?

Primeiro, havia o presidente, como comandante constitucional, eleito pela nação. Nenhum outro oficial eleito estava envolvido (exceto pelo vice-presidente, que ouvia tudo com atenção adequada). Nenhum membro do Senado ou da Câmara põe os pés no canal de ação para as decisões relativas à guerra nuclear. Nenhum deles é consultado, a não ser que o presidente decida fazer isso por motivo de discrição. Em outubro de 1962, o Congresso permaneceu alheio à existência dos mísseis soviéticos em Cuba durante a primeira semana de deliberações do ExComm. Somente em 22 de outubro, duas horas antes da transmissão mundial, o presidente convocou os líderes das duas casas, avisou-lhes sobre os mísseis e lhes informou que tinha decidido responder com uma quarentena naval. Os líderes do Congresso discordaram muito do plano que o presidente tinha escolhido. O senador Fulbright urgiu, de forma particular, para que os Estados Unidos respondessem com mais força. O senador Russell afirmou que "não poderia conviver consigo mesmo se não dissesse nos termos mais fortes possíveis quão importante seria que agíssemos com mais força". Os senadores insistiram que ficasse registrado que eles tinham sido informados, não consultados. Mas a objeção dos congressistas não teve efeito, a essa altura. E nenhum outro membro do Congresso esteve profundamente envolvido com decisões subsequentes durante a semana seguinte.

Segundo, havia diversos homens cuja posição institucional os tornava participantes inevitáveis de qualquer escolha maior acerca da guerra nuclear: o secretário de Defesa, o secretário de Estado, o diretor da Agência Central de Inteligência, o líder do Estado-Maior Conjunto e o assistente da Casa Branca para Assuntos de Segurança Nacional. Por que o envolvimento desses homens era *necessário*? Porque cada um tinha uma porção dos recursos para agir. Visto que o presidente considerava possíveis ações militares, quem poderia especificar o espectro de opções viáveis exceto o Estado-Maior Conjunto e seus subordinados? Quando o presidente optou pelo bloqueio, ninguém exceto o secretário de Defesa tinha tanto a autoridade quanto as informações para supervisionar a implementação. Quem contou ao presidente sobre a presença de mísseis soviéticos em Cuba? O seu assistente para os Assuntos de Segurança Nacional, McGeorge Bundy. (De fato, Bundy preferiu não lhe contar na noite de segunda-feira, 15 de outubro, quando a CIA informou Bundy sobre o fato, e deixou o presidente ter uma boa noite de sono nesse dia antes de lhe contar na manhã do dia 16.) Bundy ficou sabendo dos mísseis pela CIA; o diretor da CIA, John McCone, e a máquina debaixo dele serviam como os "olhos e ouvidos" do governo dos EUA para ficar a par do que se desenrolava em Cuba. A necessidade de informação, análise e assistência na implementação fazia com que os vice-secretários e até secretários assistentes mais relevantes também fossem incluídos, como Paul Nitze, da Defesa.

Terceiro, havia os homens do presidente: seu irmão e diretor de campanha, o advogado geral e seu conselheiro especial, Theodore Sorensen. Este tinha se juntado a JFK quando ele fora ao senado, em 1953, e desde então estivera entre seus conselheiros pessoais e programáticos, além de seu principal escritor de discursos. O presidente dependia de Sorensen para mais do que palavras em um discurso. Sorensen, e mais ainda Robert Kennedy, ajudavam John Kennedy a contemplar todo o espectro de suas responsabilidades enquanto presidente. Tendo dependido somente do dispositivo de segurança nacional ao tomar a fatídica escolha na questão da Baía dos Porcos, Kennedy passou a insistir, depois, que nenhuma decisão maior de segurança nacional fosse tomada sem incluir Robert Kennedy e Sorensen no processo.

Quarto, havia os suplentes, alguns deles oficiais, alguns da vida privada. Dean Acheson era ex-secretário de Estado; Robert Lovett, ex-secretário de Defesa. Ambos tinham atuado na administração de Truman, Lovett como republicano. Os dois foram envolvidos porque o presidente valorizava o discernimento deles e também porque sabia que outras pessoas valorizavam o discernimento deles – principalmente no "estabelecimento da política de relações exteriores bipartite" –, no Capitólio e além. Adlai Stevenson, embaixador das Nações Unidas, pode ser contado como parte do grupo visto que sua posição enquanto ex-candidato presidencial dos democratas e liberal sobrepesava a importância de seu papel oficial. A presença do secretário do Tesouro, Douglas Dillon, atesta não somente para o peso do seu departamento em questões de relações exteriores – um traço vital do nosso governo, apesar de ser meio escondido –, mas também para seu caráter representativo como ex-subsecretário de Estado de Eisenhower.

A importância dos indivíduos do círculo fica clara quando se reflete sobre o papel extraordinário que tiveram. As decisões passavam pelas mãos do presidente, mas não eram simplesmente produto da mente dele, apenas. Tanto a definição da questão quanto a escolha de resposta dos EUA *emergia* das deliberações do grupo. O relato de Robert Kennedy é sugestivo, tanto com relação a percepções e preferências individuais quanto com relação ao processo pelo qual o grupo chegou ao bloqueio.[10]

Na manhã de terça-feira, 16 de outubro, McGeorge Bundy foi até as acomodações do presidente com a seguinte mensagem: "Sr. Presidente, temos agora evidência fotográfica categórica de que os russos têm mísseis ofensivos em Cuba". Muito se falou sobre a "expressão de surpresa" de Kennedy. Mas "surpresa" não é o suficiente para captar o caráter da primeira reação dele. Na verdade, foi uma expressão de susto e raiva, muito propriamente transmitida pela exclamação: "Ele não pode fazer isso *comigo*!". Essa exclamação, nesse contexto, tem três aspectos. Primeiro, em termos da atenção e das prioridades do presidente no momento, Khrushchev tinha escolhido a atitude que mais atrapalhava de todas. Em um contexto político doméstico dos mais sensíveis – menos de dois anos depois da Baía dos Porcos, menos de dois meses antes das eleições do meio do ano –, em que os oponentes dele exigiam ação contra os interesses soviéticos em Cuba, Kennedy estava seguindo uma política de razão e responsabilidade. Apoiando essa política, ele tinha definido uma distinção entre armas "defensivas" e "ofensivas", colocara toda a sua autoridade presidencial na afirmação direta de que os soviéticos não estavam colocando armas ofensivas em Cuba, e avisou, sem ambiguidades, que mísseis ofensivos não seriam tolerados. Segundo,

---

10. Outros relatos suplementam sua discussão. Para esses relatos, ver p. 175. Nos parágrafos que seguem, nós nos detivemos em alguns deles.

o principal disparo da política da sua administração com relação à União Soviética fora apontado para relaxar a tensão e construir confiança baseada em confiança. Sob considerável custo político, ele estava tentando pôr na coleira os anticomunistas da Guerra Fria e educar oficiais, tanto quanto o público, para esquecer as teorias diabólicas predominantes acerca do comunismo soviético. Ele e seus conselheiros mais próximos tinham feito esforços consideráveis para garantir que toda a comunicação entre o presidente e o líder russo seria direta e precisa. Fizeram contato; Khrushchev estava correspondendo; estava crescendo a confiança mútua. Como parte dessa troca, Khrushchev tinha garantido ao presidente, por meio dos canais mais diretos e pessoais, que estava ciente do problema doméstico de Kennedy e não faria nada para complicá-lo. Especificamente, Khrushchev dera ao presidente garantias solenes de que a União Soviética não colocaria mísseis ofensivos em Cuba. Mas então o líder *mentiu* para o presidente.[11] Terceiro, a ação de Khrushchev desafiou o presidente pessoalmente. John F. Kennedy tinha coragem, no momento mais crítico, de pegar um caminho com probabilidade significativa de uma guerra nuclear? Se não tivesse, Khrushchev ganharia essa rodada. Mais importante: ele ganharia a confiança de que poderia vencer a próxima também – simplesmente forçando Kennedy a escolher entre o caminho nuclear e aquiescer. Kennedy tinha receio, tanto depois da Baía dos Porcos quanto depois da reunião em Viena com Khrushchev, que o líder pudesse ter duvidado do

---

11. De acordo com lembranças atribuídas a Khrushchev, "Nosso objetivo era... impedir que os norte-americanos invadissem Cuba e, para esse fim, queríamos fazê-los pensar duas vezes confrontando-os com os nossos mísseis" (Khrushchev Remembers [Boston: Little, Brown, 1970], p 496). Essa fala evita qualquer discussão acerca do engano envolvido.

seu fervor. Dessa vez, Kennedy estava determinado a pisar firme. Os caminhos em que não se forçava nada – evitar medidas militares, recorrendo, em vez disso, à diplomacia – não poderiam ser menos relevantes para o problema *dele*.

Esses dois caminhos – "não fazer nada" e "fazer uma abordagem diplomática", como foram rotuladas as alternativas no ExComm – eram as soluções defendidas por dois dos principais conselheiros. Para o secretário de Defesa McNamara, os mísseis suscitavam um espectro de guerra nuclear. Inicialmente, ele enquadrou a questão como um problema estratégico. Para entender a questão, era preciso compreender dois pontos óbvios, mas complicados. Primeiro, os mísseis em Cuba representavam uma ocorrência inevitável: o estreitamento do abismo de mísseis entre os EUA e a União Soviética. Simplesmente aconteceu mais cedo do que o esperado. Segundo, os Estados Unidos podiam aceitar essa ocorrência, visto que as consequências eram pequenas: sete a um de "superioridade" de mísseis, um para um de "equidade" de mísseis, um a sete de "inferioridade" – as três posições são idênticas. O que era idêntico era não poder aceitar as perdas de norte-americanos que seriam infligidas por qualquer uma das três. O posicionamento de McNamara nessa discussão, na primeira reunião do ExComm, foi resumido em uma frase: "Um míssil é um míssil". "Não faz muita diferença", ele sustentava, "se você é morto por um míssil da União Soviética ou de Cuba". A implicação estava clara. Os Estados Unidos não deveriam iniciar uma crise com a União Soviética, arriscando uma significativa probabilidade de haver uma guerra nuclear, por causa de uma ocorrência que tinha implicações estratégicas tão pequenas.

As percepções de McGeorge Bundy são difíceis de reconstruir. Ele também parecia ter ficado impressionado, inicialmente, com o potencial das ações militares propostas de agravar a crise até uma guerra nuclear, visto que, no começo, ele defendia uma abordagem diplomática. Diversas formas de abordagem diplomática foram delineadas, mas Bundy argumentava muito persuasivamente para confrontarmos o ministro de Relações Exteriores, Gromyko, com as evidências e exigir a retirada, ou abordar Khrushchev diretamente de maneira similar. Como ele apontou, essa abordagem daria a Khrushchev a oportunidade de retirar os mísseis discretamente, sem humilhação. Talvez evitasse qualquer confronto. Ela reduzia o tempo que esse segredo teria de passar engarrafado dentro do nosso governo. Ademais, Bundy argumentava, considerando as alternativas, todas exigiam que se revelasse a descoberta acerca de Khrushchev quando se anunciasse ao povo americano e ao mundo o plano de ação escolhido. Isso equivalia a uma suspensão das regras de diplomacia. Tornar a questão pública, tocando o prestígio de Khrushchev e dos soviéticos aos olhos do mundo, antes de tentar os canais diplomáticos mais tradicionais, seria, no máximo, uma visão acanhada. Finalmente, com relação ao argumento que se tornou a pedra no sapato dessas deliberações, uma abordagem diplomática não impedia outras opções. Se Khrushchev se recusasse ou atrasasse, uma alternativa poderia, então, ser anunciada publicamente, e a administração seria protegida de críticas de que tinha provocado o confronto público sem primeiro tentar negociações diplomáticas.

O argumento de Bundy era poderoso. Mas o tom do argumento e o fato de que com o passar da semana ele passou a defender o ataque aéreo acabou gerando dúvida com relação à "verdadeira" reação dele. Estaria ele trabalhando sob o famoso fardo de responsabilidade pelo fiasco na Baía dos Porcos? Estaria ele bancando o advogado do diabo no intuito de fazer o presidente sondar a própria reação inicial? Como Bundy resumiu em sua reação: "Eu quase deliberadamente fiquei com a minoria. Achei que seria muito importante manter as opções do presidente abertas".

Robert Kennedy enxergava a parede política contra a qual Khrushchev havia prensado seu irmão. Mas ele se via cercado, também, por duas barreiras adicionais. Primeiro, como McNamara, ele era assombrado pela possibilidade da destruição nuclear. Khrushchev forçaria o presidente a cometer um ato insano? Segundo, mais do que qualquer outro membro do grupo, ele via uma questão crucial imposta pelas tradições e pela posição moral dos Estados Unidos. Poderia seu irmão acabar maculando o nome dos Estados Unidos nas páginas da história? Lembremo-nos do recado rabiscado por ele na primeira reunião do ExComm: "Agora eu sei como Tojo se sentiu quando estava planejando Pearl Harbor". Desde o início, ele sondava em busca de uma alternativa para o ataque aéreo.

A reação inicial de Theodore Sorensen recaiu em algum lugar entre o presidente e seu irmão. Como o presidente, Sorensen sentiu a ferroada da traição. Se o presidente tinha sido o arquiteto da política que os mísseis perfuravam, Sorensen tinha sido o projetista. A jogada enganosa de Khrushchev demandava uma contramedida forte. Mas como Robert Kennedy, Sorensen temia que o choque e a desgraça levariam ao desastre. Escolhido pelo presidente para ser seu principal relator nas discussões do ExComm, Sorensen evitou defender um lado. Em vez disso, no ExComm ele concebia seu papel como sendo de auxiliar no "sondar, questionar, incitar discussões e alternativas e manter a discussão concreta e seguindo adiante". Mas visto que seus memorandos evidenciavam para o presidente os problemas, os argumentos e as questões, as reações pessoais dele importavam.

Para o Estado-Maior Conjunto, a questão estava clara. *Agora* era a hora de fazer o serviço para o qual vinham preparando planos contingenciais. A Baía dos Porcos tinha sido malconduzida; esta rodada não seria. Os mísseis forneciam a *ocasião* para lidar com o problema para o qual eles estavam preparados: livrar o Hemisfério Ocidental do comunismo de Castro. A segurança dos Estados Unidos exigia um ataque aéreo maciço, o que levaria para uma invasão e a deposição de Castro. Como recorda o general Maxwell Taylor, líder do Estado-Maior: "Eu tive certeza desse posicionamento do começo ao fim, primeiro como porta-voz do Estado-Maior Conjunto, segundo por convicção pessoal".[12] Embora Taylor argumentasse seu ponto de vista com cautela, dois dos demais representantes defendiam a ação militar com uma vivacidade que impressionava os outros membros do ExComm. Como anota Robert Kennedy, depois que o general Curtis LeMay, chefe de gabinete da Força Aérea, argumentou intensamente que um ataque militar era essencial, o presidente perguntou qual seria a resposta dos russos. O general LeMay respondeu: "Não haveria reação". O presidente não foi convencido. Como ele disse a Arthur Schlesinger Jr., assessor da Casa Branca,

---

12. Maxwell D. Taylor. *Swords and Ploughshares*. Nova York: W. W. Norton & Company, 1972.

no dia em que terminou a crise: "A invasão teria sido um erro – um uso equivocado do nosso poder. Mas os militares são malucos. Eles queriam fazer isso. Sorte a nossa ter McNamara por ali".

Havia outros defensores da ação militar, mais persuasivos. Acheson, Nitze, Dillon e McCone concordavam nas ideias. Dean Rusk, o secretário de Estado, parece ter se inclinado na direção deles. Para esse grupo, os problemas principais eram dois: a segurança dos Estados Unidos junto com sua posição de liderança no Hemisfério Ocidental e na Europa Ocidental. A situação concedia pouco tempo para deliberação. Os mísseis soviéticos em Cuba estavam rapidamente se tornando um perigo agudo e deveriam ser removidos por uma ação militar antes que se tornassem operacionais. Nas palavras de Acheson:

> Como eu via na época, e ainda acredito, a decisão de recorrer ao bloqueio foi uma decisão de postergar o problema à custa do tempo dentro do qual as armas nucleares poderiam ser postas em operação. A União Soviética não precisava trazer mais armas para dentro de Cuba... as armas nucleares que já estavam lá... eram capazes de matar oitenta milhões de norte-americanos. Isso bastava.[13]

Como Nitze sustentava, quando um indivíduo toma um caminho que pode levar a uma guerra nuclear, qualquer homem que se sente responsável pela vida dos cidadãos norte-americanos tinha

---

13. Dean Acheson, "Homage to Plain Dumb Luck", *Esquire*, Fevereiro de 1969.

de distinguir precisamente entre as consequências da guerra de antes e de depois de esses mísseis se tornarem operacionais.

Por isso, os mísseis soviéticos em Cuba não eram uma questão simples. Os homens que se reuniram no pináculo do governo dos EUA percebiam muitas facetas de questões bem diferentes. E apesar dos esforços para classificar esses homens como "falcões" ou "pombas" – metáforas criadas durante essa crise –, as reações iniciais deles foram muito mais diversas do que sugere a metáfora. O processo do qual emergiu o bloqueio a partir dessas reações e preferências iniciais é uma história do mais sutil e complicado sondar, repuxar e arrastar, e liderar, guiar e esporar. Mesmo com a ajuda do relato de Robert Kennedy, reconstruir esse processo pode ser somente uma tentativa.

Inicialmente, o presidente e a maioria dos seus conselheiros queriam um ataque aéreo limpo, cirúrgico. No primeiro dia da crise, quando informou Adlai Stevenson sobre os mísseis, o presidente mencionou somente duas alternativas: "Eu suponho que as alternativas são entrar pelo ar e dar cabo deles, ou tomar outras medidas para deixá-los inoperáveis". No final da semana, uma minoria considerável ainda defendia o ataque aéreo. Como Robert Kennedy disse, certa vez, em uma entrevista: "As catorze pessoas envolvidas eram muito significativas... Se algum dentre seis deles tivesse sido presidente dos EUA, eu acho que o mundo teria sido explodido". O que impediu o ataque aéreo foi a coincidência fortuita de uma série de fatores, e a ausência de qualquer um deles poderia ter permitido que essa opção prevalecesse.

Primeiro, a visão do holocausto de McNamara o colocou com firmeza contra o ataque aéreo. Sua tentativa inicial de enquadrar a questão em termos estratégicos foi considerada bastante inapropriada por Kennedy. Quando McNamara percebeu que uma resposta mais forte era necessária, no entanto, ele e o vice Gilpatric escolheram o bloqueio como substituto. Quando o secretário de Defesa – cujo departamento detinha a ação, cuja reputação no Gabinete era única, em quem o presidente demonstrava ter total confiança – impôs os argumentos para o bloqueio e recusou-se a ser demovido, o bloqueio tornou-se uma alternativa formidável.

Segundo, Robert Kennedy forçou a analogia com Tojo. Seus argumentos contra o ataque aéreo baseados na moral ressoaram no presidente. Ademais, visto que esses argumentos tinham sido dispostos tão forçosamente, o presidente quase não pôde seguir sua preferência inicial sem parecer ter-se tornado o que RFK condenava.

O presidente ficou sabendo dos mísseis na manhã de terça-feira. Na manhã de quarta, no intuito de mascarar a descoberta dos russos, ele voou para Connecticut para um compromisso de campanha, deixando o irmão como líder não oficial do grupo. Quando o presidente retornou, na noite de quarta, uma terceira peça crucial havia sido acrescentada à situação. McNamara apresentara sua argumentação a favor do bloqueio. Robert Kennedy e Sorensen estavam ao lado dele. Uma poderosa coalizão dos conselheiros em quem o presidente mais confiava, e com quem ele era mais compatível, acabara de emergir.

Quarto, a coalizão que se formara por trás da preferência inicial do presidente lhe dera motivo para uma pausa. Quem apoiava o ataque aéreo – o Estado-Maior, McCone e Acheson, por exemplo – contava mais por *como* o apoiava.

Quinto, uma informação incorreta, que ninguém sondou, permitiu que os defensores do bloqueio abastecessem incertezas (potenciais) na mente do presidente. Quando o presidente retornou a Washington na noite de quarta-feira, RFK e Sorensen encontraram-no no aeroporto. Sorensen entregou ao presidente um memorando de quatro páginas que delineava as áreas de acordo e desacordo. O argumento mais forte era o de que o ataque aéreo simplesmente não tinha como ser cirúrgico. Após um dia sondando e questionando, a Força Aérea afirmara que não poderia garantir o sucesso de um ataque aéreo cirúrgico limitado somente aos mísseis.

Na noite de terça-feira, o presidente convocou o ExComm para a Casa Branca. Ele declarou a escolha receosa pelo bloqueio e ordenou que fossem feitos os preparativos para colocá-lo em ação até a manhã de segunda. Embora ele tivesse levantado a questão acerca da possibilidade de um ataque aéreo cirúrgico subsequente, ele parecia ter aceitado a opinião dos *experts* de que não havia essa opção. (Ele ter aceitado essa estimativa pode sugerir que talvez ele tenha aprendido a lição da Baía dos Porcos – "Nunca confie nos *experts*" – não tão bem quanto ele mesmo supunha.) Essa informação, pelo visto, estava incorreta. Durante a segunda semana da crise, analistas civis examinaram a opção do ataque aéreo cirúrgico, afirmaram que, com modificações adequadas dos planos da Força Aérea, essa opção poderia ter sido escolhida com muita confiança, e por isso a acrescentaram à lista de escolhas possíveis por volta do fim da segunda semana. Por que ninguém sondou as estimativas iniciais mais cedo continua sendo uma questão interessante.

Robert F. Kennedy

A decisão de fazer o bloqueio, portanto, emergiu como uma colagem. As peças incluíam a decisão inicial do presidente de que algo mais forçoso deveria ser feito; a resistência de Robert Kennedy, McNamara e Sorensen ao ataque aéreo; a relativa distância entre o presidente e os defensores do ataque aéreo; e um dado provavelmente incorreto.[14]

Um dilema de governança

O processo de decisão, nesse caso, ilustra um conjunto de pesos e medidas quase não mencionados na nossa Constituição. Um presidente e seus principais associados são mutuamente dependentes. Mas a necessidade que uns têm dos outros pode ser incompatível. Raramente eles servem uns aos outros para satisfação de ambas as partes. O relato de Robert Kennedy sugere que, na crise dos mísseis de Cuba, ambos obtiveram satisfação. Uma leitura cuidadosa vai indicar, no entanto, a fragilidade desse resultado. É preciso levar isso em consideração.

O que o presidente Kennedy precisava tirar do oficialismo do executivo fica claro na história do seu irmão. Ele precisava de informação, análise e controle que chegasse ao nível da sua responsabilidade não partilhada e agora impartilhável. Em retrospecto, parece que ele obtém o bastante de cada um, mas foi por pouco, e somente por esforço extraordinário de sua parte e dos seus associados mais íntimos. As fotografias do U-2 foram tiradas para ele na última hora; as aeronaves alinhadas lado a lado

---

14. Os parágrafos precedentes foram adaptados de Graham T. Allison, *Essence of Decision: Explaining the Cuban Missile Crisis*. Boston: Little, Brown, 1971.

não foram dispersadas enquanto ele não interveio; seu agente, McNamara, nunca conseguiu arrancar da marinha o controle total sobre os navios desta, e somente a cautela dos soviéticos o salvou das consequências de um piloto da Força Aérea ficar de olho na estrela errada. Ele precisava, evidentemente, de informação formada a partir de pequenos detalhes e controle que alcançasse as menores decisões, nas profundezas de todos os departamentos relevantes. Era disso que ele precisava, porque o país e o futuro deste dependiam profundamente do discernimento dele.

O que os altos oficiais precisavam obter do presidente também fica claro no relato de RFK acerca do ExComm. Eles precisavam de um fórum no qual discutir, um árbitro para essas discussões, garantia de audiência e julgamento nas disputas. Suas jurisdições foram ao mesmo tempo divididas e entrelaçadas. Os secretários de Defesa e Estado, os serviços militares, a CIA, nossas missões nas Nações Unidas e na Otan, todos esses tinham seus papéis para seguir, mas isso requeria que cada um compartilhasse o palco com os demais. Ninguém podia agir sozinho. E suas perspectivas eram paroquiais (pelo menos até certo nível). A Força Aérea enxergava o interesse da nação – e as opções desta – em termos diametralmente opostos aos do nosso embaixador nas Nações Unidas. O secretário de Defesa avaliara os MBMA em Cuba e derivou em um equilíbrio diferente do que enxergava seu equivalente no Departamento de Estado: ele enfatizava a dissuasão, enquanto eles enfatizavam a diplomacia. Robert Kennedy e Dean Acheson divergiam acerca das lições da história e as lições que a ação norte-americana, nesse caso, ensinariam ao futuro.

Robert F. Kennedy

Em retrospectiva, a invenção do ExComm e seus procedimentos improvisados (incluindo sessões em separado do presidente) davam a homens como esses exatamente as coisas de que eles precisavam, sob circunstâncias pensadas para minimizar o paroquialismo, fortalecendo seu senso de realizar um serviço comum para o topo. Mas o artifício de JFK de fazer uma audiência especial para o caso da Força Aérea antes de ele ter vetado o ataque aéreo no começo sugere que o ExComm tinha seus limites enquanto fórum, e também como corte de último recurso. E na segunda semana de crise, havia sinais em abundância de que a terceira semana poderia ter testemunhado algo similar a uma explosão dos burocratas abaixo do topo, por terem sido assediados, frustrados e excluídos. Nesse caso, seus cansados seniores, exauridos após treze dias, mal poderiam contê-los. Como meio para atender às necessidades dos homens de segundo nível, o ExComm era uma farsa. Entretanto, por volta do décimo sexto dia, as necessidades deles seriam primordiais. Eles teriam tido de montar as operações militares e as ações diplomáticas corolárias.

Treze dias que abalaram o mundo não tem muito a dizer sobre as necessidades e as frustrações dos oficiais subordinados. São memórias pessoais, e o autor via a cena de uma posição bem perto do topo. Mas os autores deste Posfácio ouviram em vívidos detalhes as reclamações de quem estava embaixo, e também suas esperanças, seus planos. Como um de nós disse, um dia, a um subcomitê do Senado:

> Já dá para ver, nestas duas semanas (da crise dos mísseis) a frustração aparecendo nos níveis oficiais. As

necessidades dos oficiais em suas próprias vidas e no trabalho teriam se provado muito intensas ao longo de um mês. Duas semanas bastaram para acumular muita preocupação com ser deixado de fora das coisas. Ao mesmo tempo, os oficiais de ação não encontravam chefes de departamento para falar dos seus problemas. Some-se a esses problemas psicológicos e operativos... que estava, evidentemente, começando a haver a proliferação de subcomitês *ad hoc* abaixo do ExComm – e acho que sei muito bem o que teria acontecido ao longo de um mês... Os agentes teriam fixado a esses novos subcomitês como um modo de levantar todas as questões secundárias e também como um meio de participar do ato da tomada de decisões da cúpula. [Logo] haveria dois ou três níveis de subcomitês. Eles teriam existido por tempo suficiente para que as pessoas tivessem direitos investidos... Você teria uma estrutura de Conselho de Coordenação de Operações aumentada, crescendo como um elefante. Então, suponhamos que a coisa toda evoluísse bem. O presidente teria de destruir a [estrutura] no intuito de recuperar um pouco de flexibilidade.[15]

Como isso sugere, as mesmas forças que moldam necessidades presidenciais moldam também as necessidades dos burocratas, mas de maneiras diferentes. Muito antes de os soviéticos

---

15. Congresso dos EUA. Senado, Subcomitê de Equipes e Operações de Segurança Nacional, 88º congresso, 1ª audiência, *Hearings*, Parte I, testemunho de Richard E. Neustadt, 11 de março de 1963, p. 97.

terem alcançado capacidade para MBIs, o ponto de mudança nos nossos armamentos, combinado com nossas extensas empreitadas econômicas e políticas além-mar, estava misturando as jurisdições de todas as agências com papéis a exercer, ou reivindicar, na segurança nacional: misturando operações com linhas programáticas, cortando no meio linhas verticais de autoridade, estourando as caixas perfeitas dos gráficos organizacionais. Defesa, Estado, CIA, ADI, Tesouro, juntos com as equipes executivas do presidente, acabaram formando um só complexo – um complexo de segurança nacional, amarrado por uma intrincada rede de inter-relacionamentos de programas e equipes em Washington e em campo. A Comissão de Energia Atômica, a Agência de Controle e Desarmamento de Armas e a AIEU também estão dentro do complexo; outros espreitam por perto, amarrados até certo ponto, como o Departamento do Comércio.

Desde o Ato de Segurança Nacional de 1947, nós reconhecemos formalmente os laços apertados que unem a política de relações exteriores, a militar e a econômica; esses laços ficaram muito claros quando da experiência da Segunda Guerra Mundial. Mas nos anos anteriores à Guerra da Coreia, quando o Plano Marshall estava por conta própria, quando a CIA era novidade, quando mal se ouvia falar dos programas de assistência militar, quando as bombas atômicas pertenciam somente a nós, e os orçamentos militares não passavam dos 15 bilhões de dólares, um secretário de Defesa podia proibir contatos entre o Pentágono e o Estado em qualquer nível abaixo do dele, e, dentro de certos limites, podia forçar seu veto. Isso aconteceu não faz tanto tempo assim, até cerca de 1949. Em termos burocráticos, é tão longínquo quanto a Idade da Pedra.

Embora as operações agora tenham sido entrelaçadas inextricavelmente, nossas organizações formais e seus poderes estatutários e as jurisdições dos comitês do Congresso continuam a ser como sempre foram: distintos, diferentes, dispersos. Nossos sistemas de pessoal estão igualmente dispersos. Somente no complexo de segurança nacional, temos pelo menos sete sistemas de carreiras profissionais distintos – incluindo militares –, junto do serviço civil geral, que, para a maioria dos intuitos e propósitos, é departamentalizado.

Hoje em dia, poucos funcionários em algumas agências podem fazer seu trabalho sozinhos, sem apoio ativo ou pelo menos aquiescência passiva de funcionários de fora, de outras agências, em geral de muitas outras. Entretanto, nenhuma agência, nenhum sistema de pessoal é o chefe efetivo de nenhum outro; nenhum funcionário deve lealdade efetiva aos outros. Em geral, os interesses que movem a lealdade dos homens – propósito, prestígio, poder ou promoção – percorrem o programa da pessoa, o sistema de carreira da pessoa, ao longo das linhas da agência, não as cruzando.

Esses desenvolvimentos colocam prêmios nas negociações interpessoais, em compromissos, acordos ao longo da atuação de todo mundo. Isso invoca os horrores do trabalho em comitês: o desperdício de tempo, o cansaço visual e auditivo, o esconder das diferenças, a procura por mínimos denominadores comuns de acordo. Mas dadas as realidades de programação e operações, a negociação interagências não pode ser evitada. "Matar" os comitês é, no máximo, relegá-los para debaixo do solo. Na melhor das hipóteses, os agentes têm de encontrar um equivalente informal. Que mais eles fariam?

Outra coisa que eles podem fazer é levar sua questão de estimação para ser discutida e resolvida em níveis superiores. Uma vez tomado esse rumo, não há local mais satisfatório no qual parar que não seja a Casa Branca. Na lógica e na lei, somente a presidência encontra-se, de certo modo, acima de todas as agências, todos os sistemas de pessoal, todas as equipes. Ali pode-se esperar obter as decisões mais definitivas que o nosso sistema permite; comitês do Congresso podem ser capazes de suplantá-las, pleiteantes especiais podem ser capazes de revertê-las, os enroladores talvez possam subvertê-las – ainda assim, existe grande certeza de obtê-las.

Portanto, agentes incitados a mostrar iniciativa, a parar de trocar favores nos comitês, a ser vigorosos nas defesas, firmes na execução, voltam-se para a Casa Branca em busca de serviço regular, confiável e consistente como uma corte de arbitração fixa e constante para o complexo de segurança nacional. Isso significa, claro, uma corte que sabe como as cortes se comportam e não entra nos casos prematuramente.

A necessidade deles de ter um serviço desses é inquestionável e legítima. Chafurdar-se na desordem das respostas hesitantes ou evasivas; passar com dificuldade pelas trevas das muitas vozes, poucas diretivas; lutar sem a garantia de um árbitro; enfrentar o Capitólio sem a garantia de uma proteção; ou, por outro lado, limpar a bagunça de amadores ávidos, reparar danos causados por procedimentos feitos por gente de fora; lidar com as ideias felizes dos postos mais altos – é disso que o oficialismo reclama, e com razão. Pois o trabalho de empreitadas em larga escala tende a ser perturbado por essas brechas de "boa ordem" e rotina. Não somente os burocratas, mas também os presidentes apostam na efetividade da burocracia do Executivo. De qualquer ponto de vista, os oficiais certamente têm direito de querer que a Casa Branca ofereça apoio ao seu desempenho.

Mas se um presidente oferecer esse serviço tanto quanto todos desejarem, onde ele vai parar? Enquanto ele age como juiz para questões trazidas pelos outros – mantendo a ordem, seguindo o protocolo, tomando decisões, concluindo súmulas –, o que acontece à sua iniciativa pessoal, seu controle do detalhe, sua busca por informação, sua procura pelo controle? O que acontece com as preocupações dele que estão fora da esfera da segurança nacional? Em suma, onde está a flexibilidade de que ele precisa para fazer de si o mestre das decisões pelas quais somente ele continua a ser o único responsável politicamente?

Até certo ponto – ponto muito alto –, as necessidades de qualquer presidente e as dos "seus" oficiais são incompatíveis. Raramente as duas podem ser supridas igualmente. Em geral, um sofre enquanto o outro é beneficiado. A crise dos mísseis parece uma raridade apenas nesse sentido. Mas provavelmente não teria sido assim se tivesse durado por mais uma semana.[16]

Desde a Segunda Guerra Mundial, nosso governo tentou resolver essa incompatibilidade mexendo na estrutura. Alternativamente, foram feitos esforços para comprimir os procedimentos para consultas oficiais e para soltar as amarras que estes impõem à Casa Branca. Às vezes, esforços dos dois tipos

---

16. Os parágrafos precedentes foram adaptados de Neustadt, *op. cit.*

foram feitos ao mesmo tempo, com consequências contraditórias. Cada administração começou alterando a estrutura que herdou para curar uma "fraqueza" na prática da predecessora, conforme observada de fora ou de baixo. O Conselho de Segurança Nacional, criado por ato do Congresso em 1947, já foi chamado de vingança do secretário de Defesa James Forrestal contra Franklin Roosevelt pela deveras incurável e, às vezes, custosa tendência deste de manter todas as linhas em suas mãos, ou, pelo menos, nas mãos de mais ninguém. A estrutura de comitês subordinados que Eisenhower patrocinou mais tarde – o Conselho de Planejamento e o Conselho de Coordenação de Operações – era considerada uma cura total para uma suposta desordem na administração de Truman. Kennedy ter abruptamente desmantelado essa estrutura foi considerado essencial para liberar as energias humanas trancafiadas dentro dessa "fábrica de papel". Nixon, agora, "restaura" uma estrutura um tanto comparável, pondo fim aos "excessos" da Casa Branca de Johnson, mas ele a conecta a uma equipe presidencial mais formidável em números e em jurisdição do que seus predecessores algum dia empregaram.

Assim acontece esse mexer na estrutura. Nada disso, até agora, evitou o fato incômodo de que os presidentes raramente são mais bem servidos do que quando os oficiais estão frustrados, e vice-versa.

Em termos de estrutura, a contribuição mais sofisticada de Kennedy foi a recusa a continuar o ExComm depois que a crise dos mísseis passou do ponto mais alto. Parece que ele via o grupo como um maquinário indispensável para um momento de crise, indispensável por ser tão flexível e tão livre de direitos ou interesses investidos. Usá-lo em qualquer outro momento acabaria por viciar essas qualidades. Por isso, ele ordenou que o grupo debandasse, para desalento de alguns membros, e o termo "ExComm" foi barrado do uso atual. Nisso, embora não conscientemente, ele seguiu a prática de Truman no estouro da Guerra da Coreia.

A decisão de Kennedy de dissolver o ExComm expressa o dilema subjacente. Parece que não existem maneiras pelas quais um presidente poderia ser assegurado frequentemente, em todos os momentos e lugares, das informações e do controle de que ele precisa enquanto, simultaneamente, garante aos oficiais as audiências, o devido processo, os recursos e a indulgência que eles demandam da Casa Branca. Mesmo no momento mais afastado da rotina, a crise dos mísseis acima de tudo, essas duas garantias parecem compatíveis temporariamente. Entretanto, os riscos do comando jazem tanto no impulso burocrático quanto nos erros de discernimento do presidente. Burocratas frustrados e incompreendidos podem ser tão perigosos para nós todos, e para um presidente, quanto as falhas no conhecimento dele, ou em seu discernimento, ou em seu temperamento. O sistema de pesos e medidas que encontramos na Era dos Mísseis não parece de fato medir o perigo da destruição. Na verdade, parece ampliá-lo. Para isso, parece não haver ajuda à vista, de nenhuma fonte, exceto as qualidades humanas de prudência, sorte e fortaleza demonstradas em 1962, por catorze homens durante treze dias.

Robert F. Kennedy

Uma questão constitucional?

Nossa Constituição é um produto do século 18. Seus autores eram homens do Iluminismo e também homens de atitude: filósofos políticos – a maioria de segunda mão – com experiência prática de primeira mão. Eles tinham total ciência do *paradoxo do governar*, conforme manifestado ao longo da história até a época deles. Por um lado, o bem comum requeria que o poder político fosse colocado nas mãos de algumas pessoas. Somente concedendo arbítrio considerável a uma autoridade pública central os cidadãos podiam garantir a defesa comum, a lei, a ordem ou as liberdades pessoais. Contudo, por outro lado, estabelecer uma autoridade pública poderosa era correr riscos enormes do uso equivocado do poder. Como aconteceu tanto antes, os governantes, sendo humanos e, portanto, falhos, podiam fazer escolhas erradas ou talvez implementassem suas escolhas atabalhoadamente, a péssimos custos. Os criadores da nossa Constituição tinham por objetivo um governo central efetivo, do contrário não teriam vindo à Filadélfia. Mas eles buscavam minimizar os riscos.

O produto do trabalho deles tinha quatro traços distintivos. Um destes era a autoridade limitada: a Lista de Direitos federal e seus correspondentes estaduais foram pensados para proteger as liberdades civis, incluindo a propriedade privada, da ação governamental arbitrária. Um segundo traço eram os poderes partilhados: governo federal e governos estaduais tinham funções que se sobrepunham, e dentro da estrutura federal, o mesmo valia para o presidente, a Câmara, o Senado, a Suprema Corte. Um terceiro traço eram as instituições separadas: cada corpo que partilhava poder tinha uma base separada de responsabilização política, e portanto também de constitucionalização, e estas eram mantidas separadas uma da outra. Um quarto traço era a legitimação dos símbolos da soberania popular: o povo substituía a monarquia, e isso era feito de tal maneira que era como vestir as instituições com seu *status*, enquanto se cedia pouco para a democracia direta.

O tempo todo, o tema subjacente eram os pesos e medidas: direitos cercando autoridade, poderes checando poderes, instituições separadas em colaboração forçada, com responsabilização política dividida e legitimidade dispersada. Homem nenhum recebia prerrogativas ilimitadas; o mesmo valia para a maioria. Em vez disso, um bom grupo de homens, cada um com um pedaço do poder, amparados por uma constitucionalização, escrutinavam uns aos outros, equilibravam-se, tentando combinar as peças na governança. Desse modo, as falhas humanas talvez pudessem ser canceladas.

Nessa época, como agora, a última expressão da autoridade era a guerra, e nisso esse padrão geral era aplicado com cuidado especial. O modelo era, evidentemente, a prerrogativa real inglesa, conforme modificada pelo controle do Parlamento sobre o erário. Os criadores da nossa Constituição a modificaram ainda mais. O Congresso, como substituto do Parlamento, também declararia guerra. O Senado, como um corpo parlamentar, também cumpria a sua parte em fazer tratados de aliança ou de paz. Nosso presidente, como substituto do rei, não tinha prerrogativa para fazer essas coisas sozinho. O que ele retinha para si só era o comando das forças armadas que os atos do Congresso lhe permitiam reunir e manter. Era, portanto, intencional que recorrer à guerra requeresse um julgamento *colaborativo* de todo o corpo de homens da administração eleito pela nação. Os presidentes não podiam declarar guerras, os congressistas não podiam mandar as tropas. Nisso, como em todas as outras questões menores, esses homens tinham que pesar e medir uns aos outros.

Entretanto, desde o início do nosso desenvolvimento sob a Constituição, os presidentes mandaram tropas para a batalha sem declarar guerra. Isso ocorreu com bastante regularidade desde que Thomas Jefferson despachou fuzileiros navais contra os piratas da Barbária.[17] Ademais, dos conflitos conhecidos por nós como "guerras", três dos quatro mais custosos – medidos tanto em vida quanto em dinheiro – foram não declarados: a Guerra Civil, a Guerra da Coreia, e, agora, a do Vietnã. Se tivesse começado uma guerra em 1962, o resultado teria sido, necessariamente, não declarado.

A Guerra Civil começou, aos olhos dos nortistas, como uma rebelião. Em 1861, quando a Carolina do Sul tomou o forte Sumter, o Congresso não estava em sessão, e não havia como convocar os sulistas. As da Coreia e do Vietnã, no entanto, são outra questão: ambas foram guerras estrangeiras e ambas começaram com o Congresso em sessão. Em 1950 e em 1965, os presidentes envolvidos não se dirigiram ao Congresso. Em vez disso, usaram a própria autoridade de comando para enviar forças para a guerra, sem uma

---

17. Se você incluir todas as situações nas quais a forças armadas dos EUA foram usadas a critério do Executivo – tanto militar quanto presidencial – contra forças e pessoas de outros países sem uma declaração de guerra, a lista passa de cem. Para uma listagem parcial, ver Departamento de Estado, *Right to Protect Citizens in Foreign Countries by Landing Force*, memorando do procurador do Departamento de Estado, 3ª ed. revista, 1934. Entre as mais importantes estão a ocupação de Polk no território da fronteira do México, as intervenções de Wilson no México e na Sibéria, e as intervenções na República Dominicana conduzidas por não menos do que quatro presidentes.

declaração. O mesmo fez Nixon, quando as nossas forças cruzaram a fronteira do Camboja. O mesmo teria feito Kennedy, pelo visto, caso houvesse uma terceira semana de crise com Cuba.

Treze dias que abalaram o mundo nos oferece muitas pistas de por que os presidentes modernos se afastaram do Congresso na hora de tomar decisões relativas à guerra. Uma pista é *manter segredo*. Antes de anunciar o primeiro passo de sua resposta, Kennedy não podia revelar para ninguém que não tivesse uma rígida "necessidade de saber" aquilo que o U-2 tinha descoberto. Se a descoberta fosse amplamente conhecida dentro do governo, teria sido vazada. Se tivesse vazado, a iniciativa diplomática da administração, alcançada com um contragolpe quando do desmascarar da duplicidade soviética, teria sido perdida. Como no fim tudo se deu, este talvez tenha sido o segredo mais bem guardado na história dos EUA. Mas foi por um fio. No sábado, James Reston, do *New York Times*, já tinha a história. Foi preciso o presidente ligar para o editor para atrasar a história até depois do anúncio da Casa Branca.

Uma segunda pista é a *flexibilidade*. Foi preciso ter cuidado e sutileza extraordinários para encontrar o primeiro passo "correto" para a resposta da questão dos mísseis soviéticos. Cuidado igual foi necessário para planejar esse passo para que sinalizasse a nossa intenção aos soviéticos, que especificasse claramente o que queríamos de Khrushchev, e deixasse Kennedy pronto para a rodada seguinte. Nesse processo, ele não podia se comprometer com ninguém sem perder um pouco de espaço de manobra em lidar com Khrushchev.

Terceiro, a flexibilidade tem uma parte de *incerteza*. As intenções dos soviéticos eram a charada a se solucionar. Elas não se declararam com a mesma clareza que teve o ataque japonês de 1941. E a incerteza tem uma parte de *complexidade*. Reunir nossas tropas e implantá-las, e controlá-las; para convencer os nossos aliados; para informar uma centena de governos nas Nações Unidas; para dizer o suficiente, mas não falar demais em público; o tempo todo tentando comunicar-se efetivamente com Moscou – tudo isso era um fardo pesado demais em cima de homens que já estavam sobrecarregados por inúmeras tarefas governamentais. Finalmente, tudo tem uma parte de *tempo*. Tudo tinha de ser feito quase imediatamente, sob a pressão incansável da tecnologia contemporânea. Despachar era essencial.

Tomados juntos, esses fatores – acima de tudo, o tempo – limitavam a quantidade de homens com quem o chefe constitucional pode engajar-se em consulta significativa. Para maximizar o prospecto de uma escolha sábia e viável, alguns interesses não podem ser excluídos. Na crise dos mísseis, o problema era principalmente uma questão de *defesa* e *diplomacia*; ela dependia amplamente da capacidade da nossa *inteligência* e oferecia a possibilidade da ação *militar*. Como estava constituído, o ExComm garantia a representação desses interesses. O paroquialismo natural, que adivinha da posição governamental desses homens, garantia que considerações de defesa, diplomacia, inteligência e ação militar teriam sua voz. Mas, potencialmente, a vida da nação estava em jogo. Como era representado esse interesse? Pelo próprio presidente, com ajudantes que ele mesmo escolhe, não somente RFK.

O tempo fez da mente do presidente a única fonte disponível da qual retirar discernimento politicamente legitimado sobre o que, falando amplamente, pode ser denominado as viabilidades da ação contemplada face a face com nossos antagonistas no mundo: discernimento sobre para onde tendia a história, quais oponentes permaneceriam de pé, o que os amigos aceitariam, o que os oficiais forçariam, o que as pessoas nas ruas tolerariam – discernimento acerca do equilíbrio de apoio, oposição e indiferença, em casa e no exterior.

Onde estava o Congresso? E quanto àquelas outras mentes legitimadas pela eleição? Elas estavam fora da jogada, exceto por ter suas lideranças informadas no último minuto. Uma consulta anterior não oferecia nada que fosse indispensável. O Congresso, certamente, poderia acrescentar legitimidade, mas isso o presidente julgava que já tinha o bastante. Como agente eleito pela nação, ele era mais representativo do que qualquer congressista ou senador, e não menos representativo do que todos eles juntos. Além disso, as decisões de comando recaíam, constitucionalmente, na sala dele, não na desses outros. Então, primeiro ele decidia, depois contava para eles.

Os precursores desses treze dias foram quatro dias, 24 a 27 de junho de 1950, da época em que os norte-coreanos cruzaram a fronteira até que enviamos tropas que até então ocupavam o Japão. Como Kennedy viria a fazer doze anos depois, o presidente Truman chamou em sessão quase contínua os oficiais mais preocupados, prenunciando o ExComm; com o conselho deles, ele foi progredindo, passo a passo, para acompanhar as sucessivas revelações da força da Coreia do Norte e da fraqueza da Coreia do Sul, mandando observadores, enquanto apelava para as Nações Unidas, neutralizando Formosa, comprometendo a força aérea, e, finalmente, comprometendo forças de superfície.

Robert F. Kennedy

Como Kennedy, Truman informava ao líder do Congresso sobre suas decisões de comando, que foram muito mais aplaudidas, em geral, na época, do que no caso de Kennedy. Mas Truman se absteve conscientemente de buscar ação no Congresso.

Dada a necessidade de escolher a tempo, e as circunstâncias circundantes, Truman achou que uma declaração de guerra seria totalmente inapropriada. Um ato congressional desse tipo tinha sido feito, pela última vez, em dezembro de 1941, contra o poder do Eixo. Nove anos depois, isso implicava, tanto pública quanto internacionalmente, não hostilidades limitadas, mas guerra total para a rendição do inimigo. Implicava também nenhuma outra conclusão exceto por tratado de paz, com a ratificação do Senado, ou por resolução das duas casas do Congresso. Truman estava procurando limitar o guerrear, não espalhar, e pôr um fim rapidamente. Ele não queria que os constituintes, nem as Nações Unidas, nem os nossos aliados, nem Moscou, nem Pequim, nem – muito menos – o Pentágono vissem a Coreia à guisa da Segunda Guerra Mundial. As tropas estavam ali por perto, no Japão. Ele tinha autoridade de comando para usá-las. Ele tinha quatro dias para decidir usá-las. Nesses termos, não poderia haver função para o Congresso enquanto parceiro nessa decisão.

Truman poderia ter usado o Congresso para ratificar a decisão. No quinto ou no sexto dia, ele poderia ter buscado uma resolução de apoio. No clima que prevalecia, não havia dúvida de que ele teria conseguido. Mas ele escolheu não fazer isso, pois poderia borrar, para seus sucessores, a autoridade de comando à sua disposição. Em vez disso, ele apontou para as Nações Unidas, sob um tratado aprovado pelo Senado, justificou seus atos com uma resolução das Nações Unidas e pediu ao Congresso o dinheiro e os controles para promover a guerra. O Congresso consentiu. Conforme a luta se arrastou após a intervenção da China, no entanto, Truman pagou um alto preço político por fracassar em fazer o Congresso partilhar da sua decisão de junho. Aquilo se transformou na "guerra do Truman". A isso pode ser atribuída a derrota do partido de Truman nas eleições de 1952 e a presidência de Dwight D. Eisenhower.

Ciente desse custo que Truman teve de pagar, a administração de Eisenhower projetou um meio de proteção de *pré*-associar o Congresso com decisão de comando, a fórmula "Quemoy-Matsu", que o porta-voz da Câmara, Sam Rayburn, caracterizou, na época, como um "cheque em branco". Essa foi uma resolução do Congresso que cobria certa área geográfica, que autorizava o presidente a fazer somente o que ele tinha autoridade constitucional para fazer: empregar forças armadas se as circunstâncias permitissem. Conforme inaugurada por Eisenhower, essa fórmula requeria, primeiro, uma tensão na área que os congressistas patrióticos não pudessem recusar, e, em segundo, a boa sorte de que o uso futuro da força, se houvesse, durasse pouco. Eisenhower aplicou a fórmula duas vezes, possuindo esses dois requisitos, uma vez na costa da China, outra no Oriente Médio. Coube a Lyndon Johnson empregá-la no Vietnã.

Desses requisitos, o Vietnã tinha o primeiro, mas não o segundo. Um incidente naval no norte foi o suficiente para a Resolução do Golfo de Tonquim, mas o uso da força acabou se prolongando. Depois da americanização da Guerra do Vietnã, nos primeiros sete meses de 1965, Johnson teria conseguido que o Congresso ratificasse a sua decisão. Como Truman, ele se recusou. Fazer isso implicaria o conhecimento público de que nós tínhamos entrado em hostilidades de grande escala que muito provavelmente se prolongariam por muitos anos. Isso teria tornado impossível uma abordagem discreta, de pouca visibilidade; teria causado uma divisão acentuada entre os "falcões" e as "pombas", sujeitando a empreitada de guerra a pressão intensa da parte de ambos. Ademais, a proclamação de hostilidades continuadas, acompanhada da requisição de tropas e impostos, quase certamente teria atrasado ou posto de lado a ação do Congresso sobre o programa legislativo para a "Grande Sociedade".

Conforme os meses de guerras se tornaram anos, no entanto, o presidente ficou sozinho, como um para-raios de dissensão. Como não se comprometeram com a guerra norte-americana no Vietnã, os membros do Senado e da Câmara sentiram-se livres para atacar a "guerra do Johnson". Formalmente, a Resolução do Golfo de Tonquim, de 1964, pode ter encoberto o percurso do presidente. Politicamente, era um escudo frágil. Ao considerá-la inicialmente, o Senado rejeitou a emenda que afirmava que o Congresso não endossava "a extensão do presente conflito"; isso veio logo depois que o senador Fulbright garantiu que uma emenda como essa era desnecessária. Na época, o presidente Johnson estava inaugurando a campanha de eleição – contra o candidato republicano Barry Goldwater – proclamando que "rapazes norte-americanos não deveriam combater no lugar dos asiáticos".

Por conseguinte, quando a guerra se expandiu, a desilusão do Congresso foi preenchida pela sensação de ter sido enganado. Quando os senadores passaram a criticar o presidente Johnson, a tendência era que o atacassem dura e amargamente. Os ataques dos congressistas ajudaram a legitimar a dissensão em todo o país, encorajando outros, principalmente nas universidades e na mídia. Ademais, o caráter das críticas dos congressistas deu certa credibilidade às acusações de que a guerra não somente era imoral e não fazia sentido, mas era também ilegal. No fim, o destino de Johnson, politicamente, lembrou um pouco o de Truman.

O que essa leitura do passado recente sugere acerca da divisão dos poderes de guerra entre o presidente e o Congresso? Para uma crise nuclear, é difícil ver problema no equilíbrio a que se chegou em 1962, totalmente pendido para o lado do presidente em um ExComm. Manter segredo, flexibilidade, incerteza e urgência – cada um, sozinho, já é um argumento forte. A representação de interesses essenciais os sublinha. Juntos, eles incitam o ponto de vista de que, quando pende uma querela nuclear, a participação formal do Congresso não é apenas inconveniente, mas impraticável. Na crise dos mísseis, se a decisão do presidente tivesse sido agravada até a guerra nuclear, a ratificação do Congresso teria sido zombaria, ou algo discutível. Nisso, o presidente é, e provavelmente sempre será, o árbitro final da nação.

> **Mas essa lógica se estende para guerra de tipo limitado, não nuclear por definição? Se não, como estipular as distinções, e como forçá-las?**

Robert F. Kennedy

É fácil enxergar o motivo pelo qual os presidentes recentes se mantiveram distantes do Congresso, agindo sob responsabilidade própria, em momentos como junho de 1950 ou julho de 1965 – ou abril de 1970. De fato, os motivos deles lembram os que afetavam o presidente Kennedy em outubro de 1962. Muitas decisões têm de ser tomadas em segredo. O Congresso é famoso pelos vazamentos. Barganhar habilidosamente com o antagonista (ou até com os aliados) requer flexibilidade. As emendas do Congresso não são aceitas de pronto, a curto prazo. No guerrear limitado, a geografia, as armas, a escala e a intensidade estão todas sujeitas a essa barganha, manifesta ou tácita. Assim como o término. Uma guerra declarada pelo Congresso não pode ser formalmente encerrada sem um ato adicional do Congresso. E embora os norte-americanos estejam, agora, mais acostumados do que na época da Coreia a fazer distinção entre as "guerras", o medo de 1950, de que uma invocação de formalidades associadas à Segunda Guerra Mundial poderia sinalizar uma intenção ilimitada aos cidadãos, em suas casas – ou para os governos lá de fora –, ainda pesava sobre a Casa Branca até recentemente, em 1965.

Argumentos como esse levaram o presidente Johnson a realizar a Guerra do Vietnã a um preço considerável, o preço de renunciar aos "poderes de guerra", tanto constitucionais quanto estatutários. Estes conferem à Casa Branca ampla autoridade em esferas que tocam os civis, como mobilização econômica, ordem pública, controle de notícias. Mas durante a Guerra da Coreia, a Suprema Corte decidiu que esses poderes fluíam somente de guerras declaradas pelo Congresso. Em vez de ver o Congresso agir, Johnson dispensou a autoridade. O presidente Nixon segue o mesmo curso. Isso sugere quão forte é a questão, pelo menos pela perspectiva de dois presidentes.

Entretanto, o custo do Vietnã, tanto humano quanto material, e sua duração, somados à falta de um acordo ou até mesmo de um propósito, levaram ao surgimento de uma perspectiva oposta, intensamente apoiada no Senado, ainda mais quando a legitimidade da Casa Branca tem sido alvo de ataques constantes de uma variedade de fontes no país. Desde a Coreia, não houve tanta discussão quanto agora acerca da necessidade, e de diversas maneiras, de limitar a liberdade do presidente no lado militar da política de relações exteriores. E enquanto o presidente Truman foi denunciado por falhar em empregar mais força, fazer uma guerra mais ampla, obter a "vitória", os maiores críticos do presidente Nixon usam da arma oposta. Assim como os do presidente Johnson.

O contra-argumento atual, oposto à lógica da Casa Branca, é muito menos uma questão de forma, e muito mais uma questão de substância. O problema não é uma aderência literal aos termos da Constituição, mas sim uma equivalência funcional para a intenção deles, a saber, que o corpo de homens eleitos no Capitólio participe das decisões da Casa Branca no instante em que começa a guerra. O poder do erário não basta; negar fundos para as forças em campo não é um caminho praticável para a maioria dos políticos eleitos. O que se deseja é ter voz antes que essas forças sejam comprometidas e não possam mais ser recuadas.

Uma série de dispositivos focados em "recuperar o equilíbrio constitucional" foi proposta pelo Congresso. Eles cobriam um espectro desde requisitar uma ação formal até regularizar consultas informais. Especificamente, propostas mais recentes incluem: (1) requisitar ação legislativa afirmativa das duas casas do Congresso para quaisquer hostilidades militares que se estendam para além de trinta dias; (2) a opção do veto legislativo, de qualquer uma das casas, de enviar tropas além-mar; (3) proibição estatutária de ação militar norte-americana (ou suprimento) em certos países; (4) requisição de consulta presidencial, antes de agir, com um grupo seleto, como líderes de comitês relevantes e membros da minoria. Outras propostas certamente virão, com o desenrolar da Guerra do Vietnã.

Da perspectiva dos últimos vinte anos, até a menor dessas propostas coloca restrição extraordinária sobre o presidente. Mas se voltarmos mais dez anos, tudo parece normal. O grande divisor de águas foi a Segunda Guerra Mundial. Até Pearl Harbor, Franklin Roosevelt era mais restringido do que qualquer presidente recente. Pense no processo tortuoso pelo qual ele transferiu cinquenta destroieres norte-americanos para a Grã-Bretanha após a queda da França.[18] Nenhuma das propostas atuais parece capaz de fazer mais do que forçar um futuro presidente a trabalhar tanto quanto esse homem trabalhou nessa situação.

Se os presidentes deveriam ser assim restringidos, e se sim, quanto, são questões a serem ponderadas. Quanto mais olhamos de perto essas propostas, mais complicadas são as questões a serem ponderadas. Os problemas chegam em pelo menos seis conjuntos. Todos que estão interessados precisam avaliar o seguinte:

Primeiro, qual é o prospecto para uma decisão "boa" acerca da guerra, ou de evitar a guerra, sob a distribuição de poder e

---

18. Ver Warren F. Kimball. *The Most Unsordid Act: Lend-Lease 1939-1941*. Baltimore: Johns Hopkins Press, 1969, p. 67-71; Robert E. Sherwood *Roosevelt and Hopkins*. New York: Harper, 1948, p. 174-76.

regras do jogo visualizadas por cada proposta? Quais propostas oferecerem maiores probabilidades de que a nação entre nas guerras em que quiser entrar, e nos mantenha fora das guerras que preferimos evitar? Obviamente, os norte-americanos discordam nesse ponto, alguns são a favor da Segunda Guerra Mundial, das Guerras da Coreia e do Vietnã, alguns queriam que tivéssemos ficado fora dessas três, e muitos fazem distinção entre cada uma.

Vale lembrar que, em 1812, e novamente em 1898, foi o Congresso, e não o presidente, que entrou na frente para forçar a guerra sobre o país. De fato, a Guerra Hispano-Americana poderia ter sido enfrentada cinco anos antes caso o presidente Cleveland não tivesse deixado claro que não guerrearia nem mesmo se o Congresso declarasse guerra.

Segundo, seja lá como se responda à primeira pergunta "na média", e quanto ao próximo caso, digamos no sudeste da Ásia ou no Oriente Médio? Sob cada realinhamento do poder proposto, quais são os prospectos para uma escolha "apropriada"? Novamente, existe claro desacordo entre os norte-americanos com o que pode ser apropriado.

Terceiro, como cada proposta se sai como mecanismo para resolver diferenças entre os norte-americanos no que tange à decisão de entrar na guerra? Quais são seus prospectos para produzir decisões viáveis politicamente com relação à guerra? Esse processo é algo que a maioria dos cidadãos reconhece como legítimo para tomar decisões tão importantes com relação a problemas sobre os quais a nação possa ficar significativamente dividida?

Quarto, como cada proposta de realinhamento afetará o poder pessoal de indivíduos específicos que estão no cenário atual de Washington? Para os envolvidos em fazer escolhas relativas a essas propostas, a importância dessa consideração está clara. Para aqueles de nós que assistem a tudo de longe, o efeito dos realinhamentos da influência dos nossos campeões da política – e seus oponentes – é importante.

Quinto, qual é a probabilidade de haver ação em cada proposta? Em qualquer época, quais parecem ser as atitudes predominantes na mídia e no meio público? Quem é que partilha mais destas no Congresso? Onde estão alocados, e em quais comitês, e em qual casa? O que mais será atingido, por quem, e como? A legislação requer maiorias sucessivas a partir dos subcomitês. Na ausência de uma onda de comoção pública, não se pode contar com ação legislativa sem contar cabeças.

Finalmente, e quanto aos efeitos colaterais não intencionais? Isso é a desgraça das reformas constitucionais adotadas para impedir que um problema atual ocorra novamente. A 20ª Emenda é um caso clássico. No intuito de evitar para sempre a crise que causou os quatro meses desde a eleição de FDR até a inauguração, nós encurtamos o tempo de aprendizado dos presidentes eleitos e demos chance a fiascos como o da Baía dos Porcos.

Esses problemas têm uma característica em comum. Nenhum é abstratamente "constitucional"; todos são políticos concretamente. Também o são as causas de preocupação por trás deles. E os resultados também serão. Politicamente, esses problemas estão vivos, como produtos do Vietnã, que já foi a "guerra do Johnson", e agora é do Nixon. A resolução desses problemas está provavelmente ligada ao seu resultado. A conexão é uma questão, em parte, de especificidades, desde as invasões ao Camboja às incursões em Laos até o próximo passo que abastecerá a oposição do Congresso. Mais importante, a longo prazo, é a memória, não em termos que valem para um historiador, mas nos termos mais informais da impressão popular.

Trinta anos atrás, o que restringia Franklin Roosevelt não eram apenas palavras em estátuas, mas sim a força proibitiva de convicções isolacionistas que embalavam milhões de cidadãos. O que estimulava a convicção deles? Uma impressão profundamente enraizada de que o envolvimento dos EUA na Primeira Guerra Mundial tinha sido um desperdício desnecessário, uma narrativa em busca de lucro.

Vinte anos atrás, ou dez, ou até cinco, a liberdade, em termos relativos, sentida e assegurada por sucessivos presidentes, refletia não somente a sensação do Congresso, mas também da mídia e do público, em ampla escala. O que abastecia essa permissividade? Acima de tudo, "Munique", como era lembrada após a vitória na Segunda Guerra Mundial.

Daqui a dez anos, achamos que o "equilíbrio" entre o presidente e o Congresso não será menos afetado pela impressão líquida deixada pela nossa guerra mais longa.

Documentos

Discurso do presidente Kennedy
22 de outubro de 1962

Boa noite, meus caros cidadãos. Este governo, como prometido, manteve a mais atenta vigilância sobre a evolução militar soviética na ilha de Cuba. Ao longo da última semana, evidências incontestáveis estabeleceram o fato de que uma série de bases de mísseis ofensivos está agora em preparação nessa ilha aprisionada. Os propósitos dessas bases não podem ser outros senão oferecer capacidade de ataque nuclear contra o Hemisfério Ocidental.

Ao receber as primeiras informações pesadas dessa natureza na manhã da última terça-feira (16 de outubro), às nove da manhã, eu instruí que aumentássemos a vigilância. E tendo agora confirmado e completado a nossa avaliação das evidências e a nossa decisão quanto a um plano de ação, este governo sente-se obrigado a reportar esta nova crise a vocês em todo detalhe.

As características dessas novas bases de mísseis indicam dois tipos distintos de instalação. Diversas delas incluem mísseis balísticos de médio alcance capazes de carregar uma ogiva nuclear por uma distância de mais de mil milhas náuticas. Cada um desses mísseis, em suma, é capaz de atingir Washington D.C., o Canal do Panamá, o Cabo Canaveral, a Cidade do México ou qualquer outra cidade na parte sudeste dos Estados Unidos, na América Central ou na região do Caribe.

Bases adicionais ainda não completadas parecem ser projetadas para mísseis balísticos de alcance intermediário capazes de viajar duas vezes mais longe – e, por isso, são capazes de atingir grande parte das maiores cidades do Hemisfério Ocidental, alcançando ao norte a Baía do Hudson, no Canadá, e até Lima, Peru. Além disso, caças capazes de carregar armas nucleares estão sendo desembalados e montados em Cuba, enquanto as bases aéreas necessárias são preparadas.

Essa transformação urgente de Cuba em uma importante base estratégica – com a presença dessas grandes armas, obviamente, ofensivas de longo alcance e súbita destruição de massa – constitui uma ameaça explícita à paz e à segurança de todas as Américas, em flagrante e deliberada provocação do Pacto do Rio de 1947, às tradições desta nação e do Hemisfério, à Resolução Conjunta do 87º Congresso, à Carta das Nações Unidas, e aos meus avisos públicos à União Soviética de 4 e 13 de setembro.

Essa ação contradiz, também, as repetidas garantias dadas pelo porta-voz soviético, entregues tanto em público quanto em privado, de que as bases de armas de Cuba manteriam seu caráter defensivo original e que a União Soviética não tinha necessidade nem desejo de alocar mísseis estratégicos no território de nenhuma outra nação.

A dimensão dessa empreitada deixa claro que ela foi planejada por alguns meses. Entretanto, apenas no mês passado, depois de eu ter esclarecido a diferença entre a introdução de mísseis superfície-superfície e a existência de mísseis antiaéreos de defesa, o governo soviético afirmou publicamente, em 11 de setembro, que, e eu o cito, "Os armamentos e o equipamento militar enviados a Cuba são pensados exclusivamente para propósito de defesa", e, e mais uma vez eu cito o governo soviético, "Não há necessidade, para o governo soviético, de ajustar suas armas para um golpe retaliatório contra qualquer outro país, como Cuba", e que, e eu cito o governo, "A União Soviética possui foguetes tão potentes para carregar essas ogivas nucleares que não há necessidade para procurar locais para eles além dos limites da União Soviética". Essa afirmação era falsa.

Somente na última terça, visto que as provas dessa rápida evolução ofensiva já estavam nas minhas mãos, o ministro de Relações Exteriores soviético Gromyko me disse, na minha sala, que havia sido instruído a deixar claro, mais uma vez, como ele afirmou que o governo dele já tinha feito, que a assistência soviética para Cuba, e eu cito, "buscava somente o propósito de contribuir para a capacidade defensiva de Cuba", que, e eu o cito, "o treinamento dado por especialistas soviéticos a cidadãos cubanos no uso de armamento de defesa não era, de modo algum, ofensivo", e que "se fosse de outra forma", o sr. Gromyko continuou, "o governo soviético jamais se envolveria em fornecer assistência desse tipo". Essa afirmação também era falsa.

Nem os Estados Unidos da América nem a comunidade mundial de nações podem tolerar engano deliberado e ameaças ofensivas da parte de nação alguma, grande ou pequena. Não vivemos mais em um mundo no qual somente o próprio disparo de armas representa provocação suficiente para a segurança de uma nação para constituir perigo máximo. As armas nucleares são tão destrutivas e os mísseis balísticos são tão velozes que qualquer possibilidade substancialmente agravada do seu uso ou qualquer mudança súbita em seu emprego pode muito bem ser considerada uma ameaça definitiva à paz.

Por muitos anos, tanto a União Soviética quanto os Estados Unidos, reconhecendo esse fato, empregaram armas nucleares estratégicas com grande cuidado, jamais perturbando o precário *status quo* que garantia que essas armas não seriam usadas na ausência de uma ameaça vital. Nossos mísseis estratégicos nunca foram transferidos para o território de nenhuma outra nação sob o manto do segredo e do engano; e a nossa história, ao contrário da dos soviéticos desde o fim da Segunda Guerra Mundial, demonstra que não temos desejo de dominar ou conquistar nenhuma outra nação ou impor nosso sistema sobre seu povo. Não obstante, os cidadãos norte-americanos acostumaram-se a viver diariamente sob a mira dos mísseis soviéticos localizados dentro da URSS ou em submarinos.

Nesse sentido, mísseis em Cuba somam-se a um perigo já evidente e presente – embora deva-se notar que as nações da América Latina nunca foram, anteriormente, sujeitadas a uma possível ameaça nuclear.

Robert F. Kennedy

Mas essa evolução secreta, ligeira e extraordinária de mísseis comunistas – em uma área bem conhecida por ter uma relação especial e histórica com os Estados Unidos e as nações do Hemisfério Ocidental, pela violação das garantias soviéticas e pelas provocações à política dos EUA e do Hemisfério –, essa decisão súbita e clandestina de alocar armas estratégicas pela primeira vez fora do solo soviético é uma deliberada mudança provocativa e não justificada no *status quo* que não pode ser aceita por este país se quisermos que a nossa coragem e os nossos compromissos sejam respeitados novamente por amigos ou inimigos.

Os anos de 1930 nos ensinaram uma lição clara: conduta agressiva, se permitimos que cresça sem avaliação e provocação, acaba levando à guerra. Esta nação opõe-se à guerra. E cumprimos com a nossa palavra. Nosso objetivo inabalável, portanto, deve ser impedir o uso desses mísseis contra este ou qualquer outro país e garantir sua retirada ou eliminação do Hemisfério Ocidental.

Nossa política foi sempre de paciência e contenção, como cabe a uma nação pacífica e poderosa, que lidera uma aliança mundial. Fomos determinados a não ser desviados de nossas preocupações centrais por meros irritantes e fanáticos. Mas agora um passo a mais é necessário – e está a caminho; e essas ações talvez sejam apenas o começo. Não correremos prematura ou desnecessariamente o risco de uma guerra nuclear mundial na qual até mesmo os frutos da vitória seriam apenas cinzas em nossa boca – mas também não recuaremos diante desse risco em momento algum em que deva ser enfrentado.

Agindo, portanto, em defesa da nossa segurança e de todo o Hemisfério Ocidental, e sob a autoridade confiada a mim pela

Constituição, como endossada pela resolução do Congresso, eu instruí que os seguintes passos iniciais fossem dados imediatamente:

Primeiro: para conter essa evolução ofensiva, será iniciada uma estrita quarentena imposta a todo equipamento militar ofensivo a caminho de Cuba pelo mar. Todo navio, de todo tipo, rumo a Cuba, vindo de qualquer nação ou porto será, caso se constate que contém carga de armas ofensivas, ordenado a retornar. Essa quarentena será estendida, se necessário, a outros tipos de cargas e cargueiros. Não estamos, desta vez, no entanto, negando as necessidades da vida, como tentaram fazer os soviéticos no bloqueio de Berlim de 1948.

Segundo: eu instruí a vigilância contínua e maior de Cuba e sua evolução militar. Os ministros exteriores da Organização dos Estados Americanos, em seu comunicado de 3 de outubro, rejeitaram o segredo para questões desse tipo neste Hemisfério. Caso esses preparativos militares ofensivos continuem, agravando assim a ameaça ao Hemisfério, ações adicionais serão justificadas. Eu instruí às Forças Armadas que se preparassem para quaisquer eventualidades; e acredito que os interesses do povo cubano e dos técnicos soviéticos nesses locais, o perigo a todos os envolvidos em prosseguir com essa ameaça serão reconhecidos.

Terceiro: será política desta nação considerar qualquer míssil nuclear lançado de Cuba contra qualquer nação do Hemisfério Ocidental como um ataque da União Soviética contra os Estados Unidos, que demandará resposta retaliatória total contra a União Soviética.

Quarto: como precaução militar necessária, eu reforcei a nossa base em Guantánamo, removi hoje os dependentes do nosso pessoal de lá, e ordenei a unidades militares adicionais que ficassem de prontidão.

Quinto: esta noite teremos uma reunião imediata com o Órgão de Consulta, sob a Organização dos Estados Americanos, para ponderar sobre essa ameaça à segurança do Hemisfério e invocar os artigos seis e oito do Tratado do Rio, para sustentar todas as ações necessárias. A Carta das Nações Unidas permite arranjos de segurança regionais – e as nações deste Hemisfério decidiram, há muito tempo, ficar contra a presença militar de poderes exteriores. Nossos outros aliados em todo o mundo também foram alertados.

Sexto: sob a Carta das Nações Unidas, pediremos esta noite que uma reunião de emergência do Conselho de Segurança seja convocada sem demora para tomar uma atitude contra essa última ameaça soviética à paz mundial. Nossa resolução demandará o desmonte e retirada imediatos de todas as armas ofensivas de Cuba, sob a supervisão dos observadores das Nações Unidas, antes de retirarmos a quarentena.

Sétimo, e último: eu peço ao líder Khrushchev que pare e elimine essa ameaça clandestina, negligente e provocadora à paz mundial e que estabilize as relações entre as nossas nações. Peço, ademais, que abandone esse caminho da dominação mundial e que participe dessa tentativa histórica de pôr um fim à perigosa corrida armamentista e transformar a história do homem. Ele tem oportunidade, agora, de trazer o mundo de volta do abismo da destruição – retornando para as palavras do seu próprio governo de que ele não tem necessidade de alocar mísseis fora do seu território, e retirando essas armas de Cuba –, evitando qualquer ação que ampliará ou aprofundará a crise atual – e também participando da busca por soluções pacíficas e permanentes.

Esta nação está preparada para apresentar seu caso contra a ameaça soviética à paz, e nossas propostas para um mundo pacífico, a qualquer momento e em qualquer fórum da Organização dos Estados Americanos, nas Nações Unidas ou em qualquer outro encontro que possa ser útil – sem limitar a nossa liberdade de ação.

No passado, fizemos esforços extenuantes para limitar a propagação das armas nucleares. Propusemos a eliminação de todas as armas e bases militares em um tratado de desarmamento justo e efetivo. Estamos preparados para discutir novas propostas para a remoção das tensões em ambos os lados – incluindo a possibilidade de uma Cuba genuinamente independente, livre para determinar o seu destino. Não temos a menor intenção de guerrear com a União Soviética, pois somos um povo pacífico que deseja viver em paz com todos os outros povos.

Mas é difícil solucionar ou até mesmo discutir esses problemas em uma atmosfera de intimidação. É por isso que essa última ameaça soviética – ou qualquer outra ameaça que for feita independentemente ou em resposta à nossa ação desta semana – deverá e será enfrentada com determinação. Qualquer movimentação hostil em qualquer parte do mundo contra a segurança e a liberdade dos povos com quem somos compromissados – incluindo, em particular, o corajoso povo da Berlim Ocidental – será enfrentada com qualquer ação que for necessária.

Finalmente, quero dizer algumas palavras ao povo cativo de Cuba, a quem este discurso está sendo diretamente transmitido por instalações de rádio especiais. Eu falo a vocês como um amigo, como alguém que sabe da sua profunda ligação com a sua pátria, como alguém que partilha de suas aspirações por liberdade e justiça para todos. E eu vi e o povo norte-americano viu, com profunda tristeza, como a sua revolução nacionalista foi traída e como a sua terra caiu sob o domínio estrangeiro. Agora, os seus líderes não são mais líderes cubanos inspirados por ideais cubanos. São fantoches e agentes de uma conspiração internacional que virou Cuba contra seus amigos e vizinhos nas Américas – e fez de Cuba o primeiro país latino-americano a tornar-se alvo de uma guerra nuclear, o primeiro país latino-americano a ter essas armas em seu território.

Essas novas armas não são do seu interesse. Elas não contribuem em nada para sua paz, seu bem-estar. Podem apenas miná-lo. Mas este país não tem a menor intenção de lhes causar sofrimento ou impor algum sistema sobre vocês. Sabemos que sua vida e sua terra estão sendo usadas como peões por aqueles que lhes negam a liberdade.

Muitas vezes, no passado, o povo cubano expulsou tiranos que destruíam sua liberdade. E eu não tenho dúvida de que a maioria dos cubanos, hoje, anseia pelo tempo em que será realmente livre – livre da dominação estrangeira, livre para escolher os próprios líderes, livre para selecionar o próprio sistema, livre para possuir sua terra, livre para falar e escrever e adorar sem medo ou degradação. E então, Cuba será recebida de volta à sociedade das nações livres e às associações deste Hemisfério.

Meus caros cidadãos, que ninguém duvide que este é um empenho difícil e perigoso em que nos engajamos. Ninguém pode prever precisamente qual rumo ele tomará ou quais custos ou perdas haverá. Temos muitos meses de sacrifício e autodisciplina à frente – meses nos quais nossa paciência e nossa vontade serão testadas, meses nos quais muitas ameaças e denúncias nos manterão cientes dos perigos. Mas o maior perigo de todos seria não fazer nada.

O caminho que escolhemos agora está cheio de perigos, como são todos os caminhos; mas é o mais consistente com nosso caráter e nossa coragem enquanto nação e nossos compromissos em todo o mundo. O custo da liberdade é sempre alto – mas os norte-americanos sempre o pagaram. E há um caminho que nunca escolheremos, que é o caminho da rendição e da submissão.

Nosso objetivo não é a vitória da força, mas a reivindicação do direito – não é a paz à custa da liberdade, mas ambos, paz e liberdade, aqui neste Hemisfério e, esperamos, em todo o mundo. Que Deus abençoe que esse objetivo seja alcançado.

Declaração da Casa Branca sobre a continuação da produção de mísseis em Cuba

26 de outubro de 1962

O desenvolvimento de bases de mísseis balísticos em Cuba continua em ritmo rápido. Por meio do processo de vigilância contínua instruído pelo presidente, evidências adicionais foram adquiridas com reflexos claros de que, nesta terça-feira, 25 de outubro, incrementos definitivos continuam a ser feitos nessas bases de mísseis ofensivos. A atividade nesses locais direciona-se para alcançar capacidade operacional total assim que possível.

Existe evidência que até ontem, 25 de outubro, atividade de construção considerável foi realizada nas bases de mísseis balísticos de alcance intermediário. Escavadoras e guindastes foram observados até quinta-feira, em ação, limpando novas áreas dentro desses territórios e melhorando as vias de acesso para as plataformas de lançamento.

Desde terça, 23 de outubro, atividades relativas a mísseis prosseguiam nas bases de mísseis balísticos de alcance médio, resultando em progressivo refinamento dessas instalações. Por exemplo, foram observados mísseis estacionados a céu aberto em 23 de outubro. A vigilância, em 25 de outubro, revelou que alguns desses mesmos mísseis foram movidos do local original. Podem-se ver cabos que percorrem das barracas para geradores de energia próximos.

Em suma, não há evidência, até agora, indicando que existe alguma intenção de desmontar e descontinuar o trabalho nessas bases de mísseis. Ao contrário, os soviéticos estão rapidamente continuando a construção de instalações de suporte e lançamento de mísseis, e fazem sérias tentativas de camuflar seus esforços.

Segunda[19] carta do líder Khrushchev para o presidente Kennedy

26 de outubro de 1962

Caro Sr. Presidente,

É com grande satisfação que estudei a resposta que o senhor deu ao Sr. U Thant acerca da adoção de medidas voltadas para evitar o contato dos nossos navios e assim evitar consequências fatais irreparáveis. Esse passo racional da sua parte me convence de que o senhor está mostrando solicitude para a preservação da paz, e eu o noto com satisfação.

Eu já disse que a única preocupação do nosso povo e do nosso governo, e a minha, pessoalmente, enquanto líder do Conselho de Ministros, é desenvolver o nosso país e fazê-lo ter posição de valor entre todos os povos do mundo em competição econômica, avanço na cultura e nas artes, e a melhora no padrão de vida do povo. Esse é o mais elevado e o mais necessário campo para competição, que somente beneficiará o vencedor e o perdedor, pois esse benefício é a paz e um aumento nas facilidades por meio das quais o homem vive e obtém prazer.

Na sua afirmação, o senhor disse que o objetivo principal reside não somente em alcançar um acordo e adotar medidas para evitar o contato dos nossos navios, e, consequentemente, um

---

19. Na sexta-feira, dia 26 de outubro, Khrushchev enviou duas cartas ao presidente Kennedy. A primeira, que não foi a público, aparentemente seguia pela linha "suave" de que a Rússia removeria os mísseis de Cuba em troca do fim da quarentena dos EUA e garantias de que os EUA não invadiriam Cuba. A segunda, seguia a linha mais dura, buscando a retirada dos mísseis dos EUA da Turquia em troca da retirada dos mísseis russos de Cuba. [Nota de *Congressional Quarterly*]

aprofundamento da crise, posto que esse contato pode disparar o fogo do conflito militar após o qual quaisquer conversas seriam supérfluas, pois outras forças e outras leis começariam a operar – as leis da guerra. Eu concordo com o senhor que esse é apenas um primeiro passo. O mais importante é normalizar e estabilizar a situação no mundo entre os Estados e entre os povos.

Eu entendo a sua preocupação para com a segurança dos Estados Unidos, Sr. Presidente, pois esse é o primeiro dever do presidente. No entanto, essas questões são também muito importantes para nós. Os mesmos deveres cabem a mim enquanto líder do Conselho de Ministros da URSS. O senhor andou preocupado com a nossa assistência para Cuba com armas projetadas para fortalecer o potencial de defesa do país – precisamente potencial de defesa –, porque Cuba, a despeito de que armas tivesse, não poderia comparar-se a vocês, visto que são dimensões diferentes, os mais atuais meios de extermínio.

Nosso propósito foi e continua sendo ajudar Cuba, e ninguém pode questionar a humanidade dos nossos motivos focados em permitir que Cuba viva pacificamente e se desenvolva segundo a vontade de seu povo. O senhor deseja livrar o seu país do perigo, e isso é compreensível. Contudo, Cuba deseja o mesmo. Todos os países querem ver-se livres do perigo. Mas como podemos nós, a União Soviética e o nosso governo, avaliar as suas atitudes, que, em efeito, significam que vocês cercaram a União Soviética com bases militares, cercaram os nossos aliados com bases militares, armaram bases militares literalmente em torno do nosso país, e alocaram seus mísseis nelas? Isso não é nenhum segredo. Oficiais norte-americanos de alto escalão declaram isso abertamente. Seus foguetes estão alocados na Grã-Bretanha e na Itália, e estão apontados para nós. Seus foguetes estão alocados na Turquia.

Vocês estão preocupados com Cuba. O senhor diz que se preocupa porque o país encontra-se a uma distância de aproximadamente 150 quilômetros por sobre o mar das margens dos Estados Unidos. No entanto, a Turquia está perto de nós. Nossas sentinelas zanzam daqui para lá e ficam de olho umas nas outras. O senhor acredita que vocês têm direito de exigir segurança para o seu país e a retirada de tais armas que vocês qualificam como ofensivas, enquanto não reconhecem esse direito para nós?

Vocês alocaram armas nucleares devastadoras, que chamam de ofensivas, na Turquia, literalmente ao nosso lado. Como, então, o reconhecimento das nossas possibilidades militares equivalentes se equipara com tão desiguais relações entre nossos grandes Estados? Não existe equiparação alguma.

Foi muito bom, Sr. Presidente, que o senhor concordou que os nossos representantes se encontrassem e começassem as conversas, aparentemente com a participação do secretário-geral em exercício das Nações Unidas, U Thant. Consequentemente, até certo ponto, ele assume o papel de intermediário, e nós acreditamos que ele possa lidar com a missão responsável se, claro, os lados que foram colocados nesse conflito demonstrarem boa vontade.

Acho que seria possível eliminar rapidamente o conflito e normalizar a situação. Então as pessoas dariam um suspiro de alívio, considerando que os estadistas que detêm a responsabilidade têm mente sóbria, e ciência da sua responsabilidade e habilidade de resolver problemas complicados e não permitir que os problemas deslizem para o desastre que é a guerra.

É por isso que faço esta proposta: nós concordamos em remover essas armas de Cuba, que vocês consideram armas ofensivas. Concordamos em fazer isso e declarar esse compromisso nas Nações Unidas. Seus representantes farão uma declaração ao efeito de que os Estados Unidos, da sua parte, tendo em mente a ansiedade e a preocupação do Estado soviético, removerão suas armas análogas da Turquia. Vamos chegar a um entendimento acerca do tempo de que vocês e nós precisaremos para realizar isso.

Depois disso, representantes do Conselho de Segurança das Nações Unidas poderiam controlar, *in loco*, o cumprimento desses compromissos. É claro que é necessário que os governos de Cuba e Turquia permitam que esses representantes venham aos seus países e chequem o cumprimento desse compromisso, que ambos os lados assumem. Aparentemente, seria melhor se esses representantes tivessem a confiança do Conselho de Segurança e a nossa – dos Estados Unidos e da União Soviética –, bem como de Turquia e Cuba. Creio que não será difícil encontrar tais pessoas que detêm a confiança e o respeito de todas as partes interessadas.

Nós, tendo feito esse compromisso no intuito de dar satisfação e esperança aos povos de Cuba e Turquia e para aumentar a confiança deles em sua segurança, faremos uma declaração no Conselho de Segurança ao efeito de que o governo soviético jura solenemente respeitar a integridade das fronteiras e a soberania da Turquia, não intervir em seus assuntos domésticos, não invadir a Turquia, não fazer disponível o seu território como um *place d'armes* para tal invasão, e também restringirá aqueles que considerariam lançar uma agressão contra a Turquia tanto a partir de solo soviético quanto de território de outros Estados que fazem fronteira com a Turquia.

O governo dos EUA fará a mesma declaração no Conselho de Segurança com relação a Cuba. Ele declarará que os Estados Unidos respeitarão a integridade das fronteiras de Cuba, sua soberania, promete não intervir em seus assuntos domésticos, não invadir e não fazer seu território disponível como [um] *place d'armes* para a invasão de Cuba, e também restringirá aqueles que considerariam lançar uma agressão contra Cuba, tanto de território dos EUA quanto do território de quaisquer outros Estados que fazem fronteira com Cuba.

Claro que, para isso, nós teríamos de chegar a um acordo com vocês e arranjar um prazo. Vamos concordar em dar certo tempo, mas não demorar, duas ou três semanas, não mais do que um mês.

As armas em Cuba, que o senhor mencionou e que, como o senhor diz, o alarmam, estão nas mãos de oficiais soviéticos. Portanto, qualquer uso acidental delas que seja, em detrimento dos Estados Unidos da América, está excluído. Esses meios estão alocados em Cuba a pedido do governo cubano e apenas com propósito de defesa. Portanto, se não houver uma invasão a Cuba, ou um ataque contra a União Soviética, ou contra outro dos nossos aliados, então, claro, esses meios não ameaçam ninguém e não ameaçarão. Pois eles não têm propósitos ofensivos.

Se o senhor aceitar a minha proposta, Sr. Presidente, enviaremos nossos representantes para Nova York, para as Nações Unidas, e lhes daremos instruções exaustivas no intuito de chegar a um acordo o quanto antes. Se o senhor também apontar seus funcionários e lhes der instruções apropriadas, esse problema poderá ser resolvido logo.

Por que eu gostaria de alcançar esse objetivo? Porque o mundo inteiro está, agora, agitado e espera gestos razoáveis de nós. O maior prazer de todos os povos seria o anúncio do nosso acordo, "cortar o mal pela raiz" do conflito que surgiu. Eu coloco grande importância nesse entendimento, porque pode ser um bom começo e, especificamente, facilitar um acordo de proibição de testes nucleares. O problema dos testes poderia ser resolvido simultaneamente, sem que se ligasse um ao outro, porque são problemas diferentes. No entanto, é importante chegar a um entendimento nos dois problemas no intuito de dar um belo presente ao povo, para que se regozijem com a notícia de que um acordo de proibição de testes nucleares também foi alcançado e, portanto, não haverá contaminação futura da atmosfera. Sua posição e a nossa nessa questão são muito similares.

Tudo isso, possivelmente, serviria como bom ímpeto para buscar acordos de aceitação mútua em outras questões disputadas, também, nas quais existe troca de opiniões entre nós. Esses problemas ainda não foram resolvidos, mas eles aguardam uma solução urgente que poderia limpar a atmosfera internacional. Estamos prontos para isso.

Essas são as minhas propostas, Sr. Presidente.

Respeitosamente,

— **Nikita Khrushchev**

Presidente Kennedy
para o líder Khrushchev
27 de outubro de 1962

[Resposta à primeira carta do líder Khrushchev, de 26 de outubro]

Caro Sr. Khrushchev,

Eu li sua carta de 26 de outubro com muita atenção e acolhi a afirmação do seu desejo de buscar uma solução imediata para o problema. A primeira coisa a ser feita, no entanto, é que o trabalho cesse nas bases de mísseis ofensivos em Cuba e que todos os sistemas de armas de Cuba capazes de uso ofensivo sejam feitos inoperáveis, sob efeito de arranjos das Nações Unidas.

Supondo que isso seja feito o quanto antes, eu dei a meus representantes em Nova York instruções que lhes permitirão trabalhar no próximo fim de semana – em cooperação com o secretário-geral em exercício e o seu representante – um acordo para uma solução permanente para o problema de Cuba junto com as linhas sugeridas na sua carta de 26 de outubro. Conforme li na sua carta, os elementos principais das suas propostas – que me parecem, no geral, aceitáveis, como os compreendo – são os seguintes:

1. O senhor concordaria em remover esses sistemas de armas de Cuba sob observação e supervisão adequadas das Nações Unidas; e procuraria, com garantias adequadas, evitar futura introdução desse tipo de sistemas de armamento em Cuba.

2. Da nossa parte, nós concordaríamos – sob o estabelecimento de arranjos adequados através das Nações Unidas para

garantir a condução e a continuação desses compromissos – a) com a remoção imediata das medidas de quarentena que estão agora em efeito, e b) dar garantias de que não haverá a invasão de Cuba. Eu acredito que outras nações do Hemisfério Ocidental estariam prontas para fazer o mesmo.

Se o senhor passar instruções similares ao seu representante, não há motivo pelo qual não poderíamos completar esses arranjos e anunciá-los ao mundo dentro de alguns dias. O efeito desse acordo em tranquilizar a tensão mundial nos permitiria trabalhar em direção a um acordo mais geral com relação a "outros armamentos", como foi proposto na sua segunda carta, que o senhor tornou pública. Eu gostaria de dizer mais uma vez que os Estados Unidos estão muito interessados em reduzir tensões e parar a corrida armamentista; e se a sua carta diz que o senhor está preparado para discutir uma *détente* que afete a Otan e o Pacto de Varsóvia, nós estamos preparados para considerar, junto aos nossos aliados, quaisquer propostas úteis.

Mas o primeiro ingrediente, deixe-me enfatizar, é o cessar de trabalhos nas bases de mísseis em Cuba e as medidas para tornar inoperáveis essas armas, sob garantias internacionais efetivas. A continuação dessa ameaça, ou o prolongamento dessa discussão acerca de Cuba ligando esses problemas às questões mais amplas da segurança europeia e mundial, certamente levaria a uma intensificação da crise de Cuba e um grave risco à paz mundial. Por esse motivo, espero que possamos concordar rapidamente acerca das linhas dispostas nesta carta e na sua carta de 26 de outubro.

– John F. Kennedy

Declaração da Casa Branca
27 de outubro de 1962

Diversas propostas inconsistentes e conflitantes foram feitas pela URSS dentro das últimas 24 horas, incluindo a que acaba de tornar-se pública em Moscou. A proposta transmitida nesta manhã, envolve a segurança de nações de fora do Hemisfério Ocidental. Mas são os países do Hemisfério Ocidental somente que estão sujeitos à ameaça que produziu a crise corrente – a ação do governo soviético de introduzir em segredo armas ofensivas em Cuba. O trabalho feito nessas armas ofensivas continua prosseguindo em ritmo rápido. O primeiro imperativo deve ser lidar com essa ameaça imediata, sob a qual negociação nenhuma pode proceder.

É posição dos Estados Unidos, portanto, que, como preliminar urgente para a consideração de quaisquer propostas, o trabalho nas bases cubanas deve parar; as armas ofensivas devem ser feitas inoperáveis; e futuros envios de armas ofensivas para Cuba devem cessar – tudo sob efetiva verificação internacional.

Quanto a propostas acerca da segurança das nações de fora deste hemisfério, os Estados Unidos e seus aliados há muito tempo lideram a busca de limitação adequada de armas inspecionadas, de ambos os lados. Esses esforços poderão continuar assim que a atual ameaça criada pelos soviéticos seja terminada.

Líder Khrushchev para o presidente Kennedy

28 de outubro de 1962

Caro Sr. Presidente,

Eu recebi a sua mensagem de 27 de outubro. Eu expresso a minha satisfação e agradeço pelo senso de proporção que o senhor demonstrou e por perceber a responsabilidade que recai sobre o senhor pela preservação da paz mundial.

Eu considero com grande entendimento a sua preocupação, e a preocupação do povo dos Estados Unidos, em conexão com o fato de que as armas que o senhor descreve como ofensivas são, de fato, armas formidáveis. Tanto o senhor quanto eu entendemos de que tipo são essas armas.

No intuito de eliminar o mais rápido possível o conflito que põe a perigo a causa da paz, para dar garantia a todas as pessoas que anseiam pela paz, e para reassegurar o povo norte-americano, todos os quais, eu tenho certeza, também querem a paz, tanto quanto o povo da União Soviética, o governo soviético, além das instruções prévias quanto à descontinuidade de futuros trabalhos nas bases de construção de armas, deu nova ordem para desmontar as armas que vocês descrevem como ofensivas e embalar e retorná-las para a União Soviética.

Sr. Presidente, eu gostaria de repetir o que eu já havia escrito ao senhor em mensagens anteriores – que o governo soviético forneceu assistência econômica à República de Cuba, bem como armas, porque Cuba e o povo cubano viviam constantemente sob a ameaça de uma invasão a Cuba.

Uma embarcação pirata havia cercado Havana. Dizem que esse cerco tinha sido feito por *émigrés* cubanos irresponsáveis. Pode ser que sim. Contudo, a questão é a partir de onde eles atiraram. É fato que esses cubanos não têm território, são fugitivos do próprio país e não têm meios para conduzir operações militares.

Isso significa que alguém colocou nas mãos deles essas armas para cercar Havana e para a pirataria no Caribe, em águas do território cubano. É impossível, nestes tempos, não notar um navio pirata, considerando a concentração no Caribe de navios norte-americanos dos quais se vê e se observa de tudo.

Nessas condições, navios piratas vagam livremente em torno de Cuba e a cercam, e fazem ataques piratas em navios de carga pacíficos. Sabe-se que eles cercaram até mesmo um navio de carga britânico. Em uma palavra, Cuba vivia sob a ameaça contínua de forças agressivas, que não escondiam a intenção de invadir o território do país.

O povo cubano quer construir sua vida dentro dos seus interesses sem interferência externa. Isso é direito deles, e eles não podem ser culpados por quererem ser os mestres do próprio país e dispor dos frutos do próprio trabalho. A ameaça de uma invasão a Cuba e todos os outros esquemas para criar tensão sobre a China são pensados para atingir o povo cubano com uma sensação de insegurança, intimidá-los e impedi-los de construir sua nova vida em paz.

Sr. Presidente, eu gostaria de dizer claramente, mais uma vez, que nós não poderíamos permanecer indiferentes quanto a isso. O governo soviético decidiu fornecer assistência a Cuba com meios de defesa contra agressões – somente com meios com propósito de defesa. Nós fornecemos os meios de defesa que o senhor descreve como meios ofensivos. Nós os suprimos para impedir um ataque contra Cuba – para impedir atos agressivos.

Eu considero com respeito e confiança a declaração que o senhor fez na sua mensagem de 27 de outubro de 1962, de que não haveria ataque nem invasão a Cuba, e não somente da parte dos Estados Unidos, mas também da parte de outras nações do Hemisfério Ocidental, como o senhor disse na mesma mensagem. Assim, os motivos que nos induziram a fornecer assistência desse tipo a Cuba desaparecem.

Foi por esse motivo que nós instruímos aos nossos agentes – esses meios, como já informei anteriormente, estão nas mãos dos agentes soviéticos – a tomar medidas apropriadas para descontinuar a construção das instalações supramencionadas, para desmontá-las e retorná-las para a União Soviética. Como eu havia informado na carta de 27 de outubro, nós estamos prontos para chegar a um acordo que permita que representantes das Nações Unidas verifiquem o desmonte desses meios. Assim, tendo em vista as garantias dadas por vocês e as nossas instruções para o desmonte, existem todas as condições para a eliminação do presente conflito.

Eu noto com satisfação que o senhor respondeu ao desejo que eu expressei com relação à eliminação da supramencionada situação perigosa bem como com relação a prover condições para uma mais cuidadosa apreciação da situação internacional, carregada como está de grandes perigos na nossa era das armas termonucleares, foguetes, naves espaciais, foguetes globais e outras armas letais. Todos os povos estão interessados em manter a paz.

Portanto, imbuído de confiança e grande responsabilidade, não devemos permitir que a situação seja agravada e devemos acabar com os centros nos quais uma situação perigosa cheia de graves consequências para a causa da paz tenha surgido. Se nós, junto com vocês, e com a assistência de outras pessoas de boa vontade, conseguirmos eliminar essa atmosfera tensa, deveríamos também garantir que nenhum outro conflito perigoso, que poderia levar a uma catástrofe nuclear mundial, possa surgir.

Concluindo, eu gostaria de dizer algo acerca de uma *détente* entre a Otan e os países do Pacto de Varsóvia que o senhor mencionou. Nós já falamos sobre isso faz muito tempo e estamos preparados para continuar a troca de pontos de vista acerca dessa questão com vocês, para encontrar uma solução razoável.

Nós gostaríamos de continuar a troca de pontos de vista acerca da proibição de armas atômicas e termonucleares, o desarmamento geral e outros problemas relativos ao relaxamento da tensão internacional.

Embora eu confie na sua afirmação, Sr. Presidente, existem pessoas irresponsáveis que gostariam de invadir Cuba agora e, assim, desencadear uma guerra. Se nós tomarmos medidas práticas e proclamarmos o desmonte e a evacuação dos meios em questão de Cuba, ao fazer isso, nós, ao mesmo tempo, queremos que o povo cubano tenha certeza de que estamos com eles e não nos absolveremos da responsabilidade de fornecer assistência ao povo cubano.

Nós temos a confiança de que os povos de todos os países, como o senhor, Sr. Presidente, me entenderão corretamente.

Robert F. Kennedy

Não estamos ameaçando. Não queremos nada além da paz. Nosso país está, agora, em ascensão. Nosso povo está aproveitando os frutos de seu trabalho pacífico. Ele vem atingindo sucesso tremendo desde a Revolução de Outubro, e criou os maiores valores materiais, espirituais e culturais. Nosso povo está aproveitando esses valores; ele quer continuar desenvolvendo suas conquistas e garantir mais desenvolvimento pela rota da paz e do progresso social com seu trabalho persistente.

Eu gostaria de lembrá-lo, Sr. Presidente, de que aviões de reconhecimento militar violaram as fronteiras da União Soviética. Em conexão com isso, houve conflitos entre nós e troca de recados. Em 1960, derrubamos seu avião U-2, cujo voo de reconhecimento sobre a URSS arruinou a reunião de cúpula de Paris. Na época, o senhor assumiu a postura correta e denunciou esse ato criminoso perpetrado pela administração anterior dos Estados Unidos.

Mas durante seu tempo de gestão enquanto presidente, outra violação das nossas fronteiras ocorreu: um avião norte-americano U-2 na área de Sakhalin. Nós lhe escrevemos sobre essa violação em 30 de agosto. Na época, o senhor respondeu que essa violação tinha ocorrido como resultado de clima ruim, e deu garantias de que isso jamais se repetiria. Nós confiamos nessa garantia, porque o clima estava realmente ruim nessa área, na hora.

Mas caso o seu avião não tivesse sido instruído a voar perto do nosso território, nem mesmo o clima ruim poderia ter trazido um avião norte-americano para dentro do nosso espaço aéreo, daí a conclusão de que isso está sendo feito com conhecimento do Pentágono, o que passa por cima de normas internacionais e viola as fronteiras de outros Estados.

Um caso ainda mais perigoso ocorreu em 28 de outubro, quando um dos seus aviões de reconhecimento invadiu fronteiras soviéticas na área da península de Chukotka, no norte, e voou por sobre o nosso território. A questão é a seguinte, Sr. Presidente: o que devemos pensar disso? O que é isso, uma provocação? Um dos seus aviões viola a nossa fronteira durante este tempo de ansiedade que ambos estamos vivenciando, quando tudo foi preparado para estar pronto para o combate. Não é um fato que um avião norte-americano intruso poderia ser facilmente confundido com um bombardeiro nuclear, o que nos empurraria para dar um passo fatídico; e ainda mais visto que o governo dos Estados Unidos e o Pentágono há muito tempo declararam que vocês estão mantendo uma patrulha contínua de bombardeiros nucleares.

Portanto, o senhor pode imaginar a responsabilidade que está assumindo: principalmente agora, quando estamos passando por esses momentos de inquietação.

Eu gostaria também de expressar o seguinte desejo; ele se refere ao povo cubano. Vocês não têm relações diplomáticas. Mas pelos meus agentes em Cuba, eu recebi relatos de que existem aviões norte-americanos fazendo voos sobre Cuba.

Nós estamos interessados em que não haja guerra no mundo, e que o povo cubano possa viver em paz. E, além disso, Sr. Presidente, não é segredo que nós temos pessoal em Cuba. Sob tratado com o governo cubano, enviamos para lá oficiais, instrutores, em geral pessoas simples: especialistas, agrônomos, zootécnicos, irrigadores, especialistas em recuperação de terras, trabalhadores simples, motoristas de trator e outros. Estamos preocupados por eles.

Robert F. Kennedy

Eu gostaria que o senhor considerasse, Sr. Presidente, que uma violação do espaço aéreo cubano cometida por aviões norte-americanos também poderia levar a consequências perigosas. E se o senhor não quiser que isso aconteça, seria melhor não dar causa para que surja uma situação perigosa. Devemos ser cautelosos agora e evitar quaisquer passos que não seriam úteis para a defesa dos Estados envolvidos no conflito, o que poderia somente causar irritação e até servir como provocação para um passo fatídico. Portanto, devemos demonstrar sanidade, razão e evitar dar esses passos.

Nós valorizamos a paz talvez ainda mais do que outras pessoas, porque passamos por uma guerra terrível com Hitler. Mas o nosso povo não vacilará diante de um teste. Nosso povo confia no governo, e nós garantimos ao nosso povo e à opinião pública que o governo soviético não permitirá ser provocado. Mas se os provocadores desencadearem uma guerra, eles não poderão se esquivar da responsabilidade e das graves consequências que uma guerra levaria até eles. Mas nós estamos confiantes de que a razão triunfará, que a guerra não será desencadeada e que a paz e a segurança das pessoas serão garantidas.

Em conexão com as negociações atuais entre o secretário-geral em exercício, U Thant, e os representantes da União Soviética, dos Estados Unidos e da República de Cuba, o governo soviético enviou o primeiro vice-ministro de Relações Exteriores, V. V. Kuznetsov, para Nova York para ajudar U Thant em seus nobres esforços direcionados para eliminar essa perigosa situação atual.

Respeitosamente,

– N. Khrushchev

Declaração do presidente Kennedy sobre o recebimento da carta do líder Khrushchev

28 de outubro de 1962

Eu recebo bem a decisão de estadista do líder Khrushchev de parar de construir bases em Cuba, desmontar armas ofensivas e devolvê-las à União Soviética sob a verificação das Nações Unidas. Isso é uma contribuição importante e construtiva para a paz.

Nós entraremos em contato com o secretário-geral das Nações Unidas a respeito de medidas recíprocas para garantir a paz na área do Caribe.

Eu espero sinceramente que os governos do mundo possam, com a solução da crise de Cuba, voltar sua atenção urgentemente para a necessidade premente de pôr um fim à corrida armamentista e reduzir as tensões mundiais. Isso se aplica ao confronto militar entre o Pacto de Varsóvia e os países da Otan, bem como a outras situações em outras partes do mundo, onde tensões levam ao desperdício de recursos em armas de guerra.

Presidente Kennedy
para o líder Khrushchev
28 de outubro 1962

Caro Sr. Khrushchev,

Estou respondendo imediatamente à sua mensagem transmitida em 28 de outubro, mesmo embora o texto oficial ainda não tenha chegado até mim, por causa da grande importância que eu associo a seguir adiante o quanto antes com a resolução da crise de Cuba. Acho que o senhor e eu, com as nossas pesadas responsabilidades pela manutenção da paz, estávamos cientes de que o desenrolar estava chegando a um ponto em que os eventos poderiam ter-se tornado impossíveis de manejar. Então recebo bem essa mensagem e a considero uma importante contribuição para a paz.

Os distintos esforços do secretário-geral em exercício U Thant facilitaram imensamente as nossas tarefas. Eu considero a carta que lhe enviei em 27 de outubro e a sua resposta de hoje como firmes compromissos da parte de ambos os governos que deveriam ser conduzidos imediatamente. Espero que as medidas necessárias possam ser tomadas o quanto antes pelas Nações Unidas, como diz a sua mensagem, para que os Estados Unidos, por sua vez, sejam capazes de remover as medidas de quarentena que estão agora em efeito. Eu já fiz arranjos para relatar todas essas questões à Organização dos Estados Americanos, cujos membros partilham um interesse profundo em uma paz genuína na área do Caribe.

O senhor se referiu, na sua carta, a uma violação da sua fronteira perpetrada por uma aeronave norte-americana na área da península de Chukotka. Eu fui informado de que esse avião, desprovido de armas e sem equipamento fotográfico, estava engajado em uma missão de coleta de amostras de ar em conexão com os nossos testes nucleares. A rota seguia direto a base Eielson, da Força Aérea, no Alasca, para o Polo Norte e de volta. Ao virar para o sul, o piloto cometeu um sério equívoco de navegação que o levou até o território soviético. Ele fez imediatamente uma chamada de emergência no rádio aberto, requisitando assistência para navegar, e foi guiado de volta para sua base pela rota mais direta. Eu lamento por esse incidente e me certificarei de que todas as precauções sejam tomadas para impedir sua recorrência.

Sr. Khrushchev, ambos os nossos países têm grandes tarefas por concluir, e eu sei que o seu povo, bem como o dos Estados Unidos, não pode desejar nada melhor do que seguir com elas livre do medo da guerra. A ciência e a tecnologia modernas nos deram a possibilidade de fazer o trabalho dar frutos além de qualquer coisa que poderia ser sonhada algumas décadas atrás.

Eu concordo com o senhor que devemos devotar atenção urgente ao problema do desarmamento, visto que se relaciona com o mundo inteiro e também com áreas críticas. Talvez agora, que nos afastamos um pouco do perigo, podemos, juntos, fazer progresso verdadeiro nesse campo vital. Acho que devemos dar prioridade a questões relativas à proliferação das armas nucleares, na terra e no espaço, e ao grande esforço de implementar uma proibição de testes nucleares. Mas também devemos tra-

Robert F. Kennedy

balhar duro para ver se medidas mais amplas de desarmamento podem ser combinadas e postas em operação o quanto antes. O governo dos Estados Unidos estará preparado para discutir essas questões com urgência, e em um espírito construtivo, em Genebra ou em outro lugar.

– John F. Kennedy

Discurso do presidente Kennedy em Cuba

2 de novembro de 1962

Meus caros cidadãos: gostaria de aproveitar esta oportunidade para relatar as conclusões a que este governo chegou com base nas fotografias aéreas de ontem, que serão disponibilizadas amanhã, bem como outros indícios, a saber, que as bases de mísseis soviéticas em Cuba estão sendo desmontadas, os mísseis e equipamento relativo estão sendo embalados, e as instalações fixas nesses locais estão sendo destruídas.

Os Estados Unidos pretendem acompanhar de perto a conclusão desse trabalho mediante uma variedade de meios, incluindo vigilância aérea, até o tempo em que meios de verificação internacionais igualmente satisfatórios sejam efetivados.

Enquanto a quarentena permanecer em vigor, temos esperanças de que procedimentos adequados possam ser desenvolvidos para a inspeção internacional de cargas que seguem para Cuba. O Comitê Internacional da Cruz Vermelha, na nossa visão, seria um agente apropriado para essa tarefa.

A continuação dessas medidas no ar e no mar, até que a ameaça à paz representada por essas armas ofensivas se vá, está de acordo com o nosso juramento de garantir sua retirada ou sua eliminação deste hemisfério. Está de acordo com a resolução da Organização dos Estados Americanos, e está de acordo com a troca de cartas com o líder Khrushchev de 27 e 28 de outubro.

TREZE DIAS QUE ABALARAM O MUNDO

Está sendo feito progresso, agora, em direção à restauração da paz no Caribe, e temos firmeza em nossa esperança e nosso propósito de que esse progresso seguirá adiante. Nós continuaremos a manter o povo norte-americano informado dessa questão vital.

Declaração do presidente Kennedy em Cuba
20 de novembro de 1962

Hoje, eu fui informado pelo líder Khrushchev de que todos os bombardeiros IL-28 que estão agora em Cuba serão retirados em trinta dias. Ele concorda, também, que esses aviões poderão ser observados e contados ao partir. Considerando que isso auxilia muito em reduzir o perigo com que este Hemisfério deparou quatro semanas atrás, eu instruí, hoje à tarde, o secretário de Defesa a remover a quarentena naval.

Tendo em vista esse passo, eu gostaria de aproveitar esta oportunidade para atualizar o povo norte-americano com relação à crise de Cuba e revisar o progresso feito até aqui no cumprimento dos entendimentos estipulados entre o líder soviético Khrushchev e eu, conforme dispostos nas nossas cartas de 27 e 28 de outubro. O líder Khrushchev, como se recordam, concordou em remover de Cuba todos os sistemas de armas capazes de uso ofensivo, parar futura introdução de tais armas em Cuba e permitir observação e supervisão apropriadas das Nações Unidas para garantir a condução e a continuação desses compromissos. De nossa parte, nós concordamos que, uma vez que forem estabelecidos esses arranjos para a verificação, nós removeríamos a quarentena naval e daríamos garantias de não invadir Cuba.

A evidência que temos até agora indica que todas as bases de mísseis ofensivos conhecidas em Cuba foram desmontadas. Os mísseis e seu equipamento associado já foram carregados em navios soviéticos. E a nossa inspeção, no mar, desses navios que partiram confirmou que o número de mísseis relatados pela União Soviética como tendo sido trazidos para Cuba, que correspondia quase totalmente às nossas informações, foi agora removido. Além disso, o governo soviético afirmou que todas as armas nucleares foram retiradas de Cuba e que nenhuma arma ofensiva será reintroduzida.

Não obstante, partes importantes do entendimento de 27 e 28 de outubro ainda serão conduzidas. O governo cubano ainda não permitiu às Nações Unidas que verifiquem se todas as armas ofensivas foram removidas, e nenhuma salvaguarda duradoura foi estabelecida contra a futura introdução de armas ofensivas de volta a Cuba.

Consequentemente, se for para o Hemisfério Ocidental continuar a ser protegido de armas ofensivas, este governo não tem escolha senão buscar meios próprios para checar as atividades militares em Cuba. A importância da nossa vigilância contínua é sublinhada porque identificamos, nos últimos dias, certa quantia de unidades de combate de superfície soviética em Cuba, embora tivéssemos sido informados de que estas e outras unidades soviéticas estavam associadas à proteção de sistemas de armas ofensivas e serão também retiradas no devido tempo.

Eu repito, nós não desejamos nada mais que arranjos internacionais adequados para a tarefa de inspeção e verificação em Cuba, e estamos preparados para prosseguir com os nossos esforços para obter tais arranjos. Enquanto isso não é feito, problemas difíceis permanecem. De nossa parte, se todas as armas ofensivas forem removidas de Cuba e mantidas fora do hemisfério no futuro, sob verificação e salvaguardas adequadas, e se Cuba não for usada para a exportação de propósitos comunistas agressivos, haverá paz no Caribe. E como eu disse em setembro, não iniciaremos nem permitiremos agressão neste hemisfério.

Não abandonaremos, é claro, os esforços políticos, econômicos e outros deste hemisfério para impedir a subversão de Cuba nem nosso propósito e nossa esperança de que o povo cubano algum dia seja verdadeiramente livre. Mas essas políticas são muito diferentes de alguma intenção de lançar uma invasão militar contra a ilha.

Em suma, o registro das semanas recentes mostra progresso real, e nós temos esperanças de que mais progresso possa ser feito. A conclusão do compromisso dos dois lados e a obtenção de uma solução pacífica para a crise de Cuba pode muito bem abrir a porta para a solução de outros problemas proeminentes.

Gostaria de acrescentar um último pensamento. Nesta semana, de Ação de Graças, há muito pelo que podemos agradecer ao olhar para trás, para onde estávamos apenas quatro semanas atrás – a unidade deste hemisfério, o apoio dos nossos aliados, e a determinação tranquila do povo norte-americano. Essas qualidades podem ser testadas muito mais vezes nesta década, mas temos ainda mais motivo para confiar que essas qualidades continuarão a servir a causa da liberdade com distinção pelos próximos anos.

Bibliografia

Ao preparar o Posfácio, nós revimos todo o material publicado acerca da crise dos mísseis de Cuba. *Treze dias que abalaram o mundo* é único, tanto por sua autoridade enquanto fonte primária quanto pela extensão, bem como pelo fato de que o autor transmite qual foi a sensação de estar lá. Mas diversos outros relatos oferecem perspectivas suplementares e detalhes adicionais.

Estudantes que se interessarem em pesquisar mais sobre a crise dos mísseis deveriam começar com o relato de Theodore Sorensen em *Kennedy* (Nova York: Harper & Row, 1965). É a versão mais cuidadosa e completa produzida por um participante central. *A Thousand Days* [Mil dias], de Arthur Schlesinger Jr. (Boston: Houghton Mifflin, 1965) contém detalhes adicionais de um historiador profissional que observou alguns dos eventos como funcionário da Casa Branca. *To Move a Nation* [Para mover uma nação], de Roger Hilsman (Garden City, NY: Doubleday, 1967) inclui um relato da crise dos mísseis da perspectiva de um agente de segundo nível do Departamento de Estado. *The Missile Crisis* [A crise dos mísseis], de Elie Abel (Nova York: J. B. Lippincott, 1966) oferece uma cronologia mais abrangente dos eventos, com base em extensas entrevistas com a maioria dos participantes, principalmente do Departamento de Estado.

Para quem quer ir adiante, mais referências incluem:

ACHESON, Dean. "Homage to Plain Dumb Luck". *Esquire*, fev. 1969.

ALLISON, Graham. *Essence of Decision*. Boston: Little, Brown & Co., 1971.

CONGRESSO DOS EUA, Senado, Comitê sobre Serviços Armados, Subcomitê de Preparativos. *Interim Report on Cuban Military Build-up*, 88º Congresso, 1ª Sessão, 1963.

CONGRESSO DOS EUA, Casa dos Representantes, Comitê de Apropriações, Subcomitê de Apropriações do Departamento de Defesa, *Audiências*, 88º Congresso, 1ª Sessão, 1963.

HORELICK, Arnold; RUSH, Myron. *Strategic Power and Soviet Foreign Policy*. Chicago: University of Chicago Press, 1965.

KHRUSHCHEV, Nikita Sergeevich; CRANKSHAW, Edward; TALBOTT, Strobe. *Khrushchev Remembers*. Boston: Little, Brown & Co., 1970.

LARSON, David (ed.). *The Cuban Crisis of 1962*. Boston: Houghton Mifflin, 1963.

PACHTER, Henry. *Collision Course*. Nova York: Frederick A. Praeger, 1963.

TATU, Michel. *Power in the Kremlin*. Nova York: Viking Press, 1969.

TAYLOR, Maxwell D. *Swords and Ploughshares*. Nova York: W. W. Norton, 1972.

WEINTAL, Edward; BARTLETT, Charles. *Facing the Brink*. Nova York: Charles Scribner's Sons, 1967.

WOHLSTETTER, Albert; WOHLSTETTER, Roberta. "Controlling the Risks in Cuba". *Adelphia Papers*, N. 17, Institute for Strategic Studies, Londres, 1965.

Alunos interessados no análogo coreano leiam *The Korean Decision*, de Glenn D. Paige (Nova York: Free Press, 1968).

– R. E. N. e G. A.

Livros para mudar o mundo. O seu mundo.

Para conhecer os nossos próximos lançamentos
e títulos disponíveis, acesse:

🌐 www.**citadel**.com.br

f /**citadeleditora**

📷 @**citadeleditora**

🐦 @**citadeleditora**

▶ Citadel – Grupo Editorial

Para mais informações ou dúvidas sobre a obra,
entre em contato conosco por e-mail:

✉ contato@**citadel**.com.br